大家小书

中国戏剧简史

董每戡 著

北京出版集团公司
北京出版社

图书在版编目（CIP）数据

中国戏剧简史 / 董每戡著. — 北京：北京出版社，2020.3

（大家小书）

ISBN 978-7-200-14779-7

Ⅰ.①中⋯ Ⅱ.①董⋯ Ⅲ.①戏剧史—中国 Ⅳ.①J809.2

中国版本图书馆CIP数据核字（2019）第066226号

总 策 划：安 东 高立志 责任编辑：司徒剑萍 李更鑫

·大家小书·

中国戏剧简史

ZHONGGUO XIJU JIANSHI

董每戡 著

出　　版	北京出版集团公司 北京出版社
地　　址	北京北三环中路6号
邮　　编	100120
网　　址	www.bph.com.cn
总 发 行	北京出版集团公司
印　　刷	北京华联印刷有限公司
经　　销	新华书店
开　　本	880毫米×1230毫米 1/32
印　　张	6.75
字　　数	115千字
版　　次	2020年3月第1版
印　　次	2022年12月第2次印刷
书　　号	ISBN 978-7-200-14779-7
定　　价	48.00元

如有印装质量问题，由本社负责调换
质量监督电话　010-58572393

总　序

袁行霈

"大家小书",是一个很俏皮的名称。此所谓"大家",包括两方面的含义:一、书的作者是大家;二、书是写给大家看的,是大家的读物。所谓"小书"者,只是就其篇幅而言,篇幅显得小一些罢了。若论学术性则不但不轻,有些倒是相当重。其实,篇幅大小也是相对的,一部书十万字,在今天的印刷条件下,似乎算小书,若在老子、孔子的时代,又何尝就小呢?

编辑这套丛书,有一个用意就是节省读者的时间,让读者在较短的时间内获得较多的知识。在信息爆炸的时代,人们要学的东西太多了。补习,遂成为经常的需要。如果不善于补习,东抓一把,西抓一把,今天补这,明天补那,效果未必很好。如果把读书当成吃补药,还会失去读书时应有的那份从容和快乐。这套丛书每本的篇幅都小,读者即使细细地阅读慢慢地体味，也花不了多少时间，可以充分享受读书的乐趣。如果把它们当成补药来吃也行，剂量小，吃起来方便，消化起来也容易。

我们还有一个用意，就是想做一点文化积累的工作。把那些经过时间考验的、读者认同的著作，搜集到一起印刷出版，使之不至于泯没。有些书曾经畅销一时，但现在已经不容易得到；有些书当时或许没有引起很多人注意，但时间证明它们价值不菲。这两类书都需要挖掘出来，让它们重现光芒。科技类的图书偏重实用，一过时就不会有太多读者了，除了研究科技史的人还要用到之外。人文科学则不然，有许多书是常读常新的。然而，这套丛书也不都是旧书的重版，我们也想请一些著名的学者新写一些学术性和普及性兼备的小书，以满足读者日益增长的需求。

"大家小书"的开本不大，读者可以揣进衣兜里，随时随地掏出来读上几页。在路边等人的时候，在排队买戏票的时候，在车上、在公园里，都可以读。这样的读者多了，会为社会增添一些文化的色彩和学习的气氛，岂不是一件好事吗？

"大家小书"出版在即，出版社同志命我撰序说明原委。既然这套丛书标示书之小，序言当然也应以短小为宜。该说的都说了，就此搁笔吧。

《中国戏剧简史》导读

董上德

一

《中国戏剧简史》收入"大家小书"系列,是一件值得高兴的事情。

此书作者董每戡先生(1907—1980),是戏剧史家、戏剧理论家和剧作家,中山大学中文系已故教授。

先生的著作,在戏剧研究圈子里广为人知,如《说剧——中国戏剧史专题研究论文集》(人民文学出版社,1983年出版)、《五大名剧论》(人民文学出版社,1984年出版)等,自出版以来,学界甚为重视,多有引用。

1999年,广东高等教育出版社出版三卷本《董每戡文集》;2011年,岳麓书社出版五卷本《董每戡集》,先生的学术影响力与日俱增。除了学术人物的身份外,作为与鲁迅、郁达夫、田汉、陈寅恪等有过或深或浅交往的历史人物,董每戡先生的一生经历和学术磨难,更是成为近来戏剧研究者和历史研究者共同关注的一个话题,相关著作有《历史的忧伤:董每戡的最后二十四年》(陆键东著,香港中和出版有限公司,2017年出版)。

粤版《董每戡文集》及湘版《董每戡集》均收入了《中国戏剧简史》。如今,列入"大家小书"的京版《中国戏剧简史》即据湘版而有所校订。

为便于读者了解《中国戏剧简史》一书,兹应北京出版社之约,试作导读,并请方家指正。

二

先谈谈《中国戏剧简史》一书的写作背景。

《中国戏剧简史》最初由商务印书馆出版于1949年。先生在该书的前言里提及过写作缘起:"过去我在国立东北大学及私立女子金陵文理学院都曾向学生们讲过这一门东西,以后恐还得讲,为免却老是在讲台上信口胡说起见,不如写下一个纲要。至于胆敢应商务印书馆之约而公之于世,那还不是'著书都为稻粱谋'?"换言之,此书原有一个基础,即曾经在大学里开设"中国戏剧简史"这一门课,编有讲义(纲要);后来,商务印书馆约稿,于是就将此讲义加以整理充实,交付出版。

而在写于1957年1月3日的《说"郭郎"为"俳儿之首"》一文(收入《说剧》)中,有"1947年我草《中国戏剧简史》(1949年商务版)"字样,可知此书大体写于1947年,至1948年的春季全书已经脱稿(书末有"1948年春天于上海"字样)。不过,若就此书的前身即上课的讲义而言,则就更早一些。先生在"国立东北大学"的教学工作始于1943年的下半年:"1943年的秋天应老友陆侃如先生之招,暂时放下抗战戏剧工作,由贵阳到川北的三台县,在国立东北大学中国文学系教课。"(董每戡《西洋诗歌简史》自序)由此推算,《中国戏剧简史》成书之前的讲义,可能就在1943年秋后动笔。

先生对在"国立东北大学"做戏剧史研究的情形于日后也有回忆:"在对日抗战最不利的年代,我在国立东北大学教书,学校的所在地是僻处川北的三台县,生活得比较安静,因之研究起中国戏剧史来。"(《说剧》自序,1950年上海文光书店版)联系当时的实情,其中国戏剧史研究,约有如下因缘:一是教学开课的需要,先生选择讲授自己熟悉的、有学术积累的;二是此前正好从事戏剧工作(在贵阳建立"剧教队"、推动建立民众剧场、展开抗战演剧活动等),转到大学里来，其学术研究的"兴奋点"在于戏剧也是顺理成章的事情，用他的话说就是："抗日战争期中——1943年，我结束了戏剧编导工作，恢复教学，想下工夫摸索一下"（《说剧》自序，1983年人民文学出版社版）；三是当时中国学术界对戏剧史的研究出现了有争议的"热点"，如关于"傀儡戏"的歧见，关于唐代是否已经出现"戏剧"的辩论等，也引发先生的思考和参与学术辩论的兴趣；他的著作不限于"宋元时期"而从"史前时期"写起（书名《中国戏剧简史》，其框架即与王国维的《宋元戏曲史》不一样），反映出先生对戏剧史研究的发展动态甚为关注，且觉得自己"有话要说"。

可见，《中国戏剧简史》的问世在先生的学术生涯中有其主客观条件。而日后，先生还曾在艰困的环境中于1959年秋天写出了近60万言的《中国戏剧发展史》（参见董每戡《五大名剧论》自序）。可惜书稿在动荡的岁月中不幸"消失"，而这部书稿的前身就是我们现在见到的《中国戏剧简史》。

三

再看《中国戏剧简史》的"自家设定"和基本思路。

如前所述，不限于"宋元时期"而从"史前时期"写起，最后以民国时期的话剧结尾,这是《中国戏剧简史》在"构思框架"上的"自家设定"。

活跃于二十世纪四十年代戏曲学界的叶德均先生曾说:"近人治戏曲而有所成就者,首推王国维,其次便是吴梅。王氏所著《宋元戏曲史》《曲录》等不仅考证精确,而且奠定了戏曲史研究的基础……至于吴梅,据说是'不屑屑于考据'的,而其成就是在作曲、度曲、制谱、订谱的诸方面。"(叶德均《吴梅的霜厓曲跋》)当时,王、吴二家,如果说不上"旗鼓相当",也可算是"双峰对峙"了。正如叶德均先生所言,吴梅长于"治曲",其主要著作《顾曲麈谈》全书离不开一个"曲"字;其《中国戏曲概论》即以"乐府亡而词兴,词亡而曲作"一句开头,书中将元明清的"剧曲"与"散曲"相提并论,虽边界不清,却也能够"粗陈梗概"。至于王国维,其视野稍有不同,既着眼于"宋代大曲""古剧脚色",也触及"上古至五代之戏剧",其《宋元戏曲史》更是对宋元时期的剧本文学情有独钟,其中的"元剧之文章""元南戏之文章"等篇章脍炙人口。可以说,王、吴二家各有特色,于"戏曲学"均有开创之功。

相较而言,每戡先生的"自家设定"可谓突破前人,胆气与学识兼备。

先生不同于王、吴二家的基本思路，跳出"曲学"的藩篱，将"文本"与"剧场"联系起来考察，不仅看到"曲"，更是重视"剧"；此外，还注意到中土文艺对西域文化以及其他外来文化的借鉴、吸收和融会，其具体论述也间或以中国戏剧与西洋戏剧做比较，视野开阔而要言不烦。故此，书名不叫《中国戏曲简史》而称《中国戏剧简史》，一字之别，大有深意。

先生在本书的"前言"里曾经夫子自道："过去一般谈中国戏剧史的人，几乎把戏剧史和词曲史缠在一起了，他们所重视的是曲词，即贤明如王氏（国维），也间或不免，所以他独看重元剧。我以为谈剧史的人，似不应该这样偏。"这就流露出其著书的基本思路：将戏剧史与词曲史"切割"开来，重新审视戏剧的特性："戏剧本来就具备两重性，它既具有文学性，更具有演剧性，不能独夸这一面而抹煞那一面的。评价戏剧应两面兼重，万一不可能，不得不舍弃一方时，在剧史家，与其重视其文学性，不如重视其演剧性，这是戏剧家的本分，也就是剧史家与词曲家不相同的一点。"不可忽视其自家身份的重新确认，先生不做"词曲家"，而自觉地担负起"剧史家"的重任，这是中国戏剧史研究的一条"分水岭"。

先生从东西方戏剧的最大通约性出发，指出中国古代的"戏曲"的价值主要在于"剧"。当然,不同民族的戏剧,除了相互间的通约性之外,还有各自不可通约的民族特性。就民族特性而言,所谓戏曲戏曲,前人重视"曲"不无道理;可"戏曲"明显地不仅仅只有"曲",先生有意识地要摆脱长期横亘在研究者面前的"曲学误区",与众不同地强调了戏曲中的"舞",并由"舞"及"戏",去探索中国古代的"剧史"的生成与演变。他更重视"戏曲"中动态的东西即"动作性",他要探讨戏曲的民族特性背后的内在因素。

先生曾从民俗学、语源学等方面审视中国戏剧形态的发生、演变诸问题,提出了"戏由舞来"的基本看法。他说:"戏由舞来,舞者便是后世的演员,任何民族、任何国家的戏几乎都是由古舞演变进化来的。"(《说"郭郎"为"俳儿之首"》)他又说:"戏剧固然需要歌曲或者语言(宾白),倘使没有,戏剧还是戏剧,'默剧'不就是原始的戏剧吗?"(《说"歌""舞""剧"》)当然,就戏剧史研究这一学科而言,先生的"戏由舞来"的结论,还可以作更深入的讨论,但与别人相比,其研究路子显然是更注重中国"戏曲"的动作性,更贴近"戏曲"作为综合性舞台艺术的特质。

故而,先生的《中国戏剧简史》即以"戏由舞来"作为全书的"逻辑起点"。此书自成格局,贯通古今。全书分七章,即：考原（史前时期），巫舞（先秦时期），百戏（汉魏六朝时期），杂剧（唐宋时期），剧曲（元明时期），花部（清朝时期），话剧（民国时期）。先生综合考察了中国戏剧从巫舞到戏曲、再到话剧的演变历程。可以说，早在二十世纪四十年代，先生根据戏剧的本质，开创性地把"戏曲"与话剧两个领域打通，体现出十分可贵的探索精神。同时，他注重研究戏剧在不同时期各自的形态，注重观察唱、做、念、打诸因素不断演化的轨迹。他认为随着时代、社会的进步，旧的戏剧形态会被新的戏剧形态所扬弃，而旧戏中有生命的东西，也会在新戏中延续下来。所以，在《中国戏剧简史》的最后一章，先生对民国时期的话剧有如下看法："这一期，我认为是中国戏剧的新生期。"写作这一章，先生以与时俱进的治学态度观察和研究这个"中国戏剧的新生期"之所以形成的前因后果，以及所取得的成绩，并以一种颇为自信的语调结束全书："历史的轮子不会倒退，民主的时代潮流也无法抗拒，光明爽朗的前途终会走到的。"如此写作"戏剧简史"，可谓"一家之言"。

先生与众不同的地方还在于，他从"剧史"的角度看到中国古代的"戏曲"并非仅仅只有"文学（或曰"曲"）"，不能片面地从"戏曲"中仅仅抽取出"文学（或曰"曲"）"来加以研究。他从演剧性的角度考察中国"戏曲"的历史演进，并写出过系列论文,如《说"歌""舞""剧"》《说"傀儡"》《说"角抵""奇戏"》《说"武戏"》《说"滑稽戏"》《说"科介"》,等等,均见其《说剧——中国戏剧史专题研究论文集》,这说明他是"立体"地看待古代"戏曲"及其文本的形成的;而在对古代著名的"戏曲"作品如《西厢记》《琵琶记》《还魂记》《长生殿》《桃花扇》等的赏析中,更充分注意到舞台演出的问题,这也说明他立意离开"案头"、将眼光投向"舞台"的学术追求,均见其《五大名剧论》。

了解这些,可以加深对其《中国戏剧简史》的认识。尽管这是一部"简史",它至今仍然具有启迪后人的学术价值。

2019年8月20日于中山大学

目 录

001	/	前　言
011	/	第一章　考原（史前时期）
040	/	第二章　巫舞（先秦时期）
065	/	第三章　百戏（汉魏六朝时期）
090	/	第四章　杂剧（唐宋时期）
114	/	第五章　剧曲（元明时期）
137	/	第六章　花部（清朝时期）
160	/	第七章　话剧（民国时期）
181	/	后　语
183	/	《中国戏剧简史》版本一览

前 言

戏剧,在中国自从未被人认识为崇高的艺术之时,我们知道第一位探究戏剧艺术之史底发展的人,恐怕就是海宁王国维先生吧。他在《宋元戏曲考》的《自序》中说:

> 壬子岁暮,旅居多暇,乃以三月之力,写为此书。凡诸材料,皆余所搜集;其所说明,亦大抵余之所创获也。世之为此学者自余始,其所贡于此学者亦以此书为多,非吾辈才力过于古人,实以古人未尝为此学故也。

也就因此,后生如我就得失参半了。参考他的特多的创获,确有了不少便利,这是得;然也因为所贡过多,我就难免拾唾余之讥,这便是失。不过,还好,王氏只详于元一代,前此和后此,都只略及之,而未有特多的叙述,总算留下余地,所以，日本的青木正儿先生，便抱着补王氏所略的后一段的雄心，著了《中国近世戏曲史》，略说元代，而详述明清两代的戏剧，这两书我认为均是名著。尽管青木是外国人，所论容或有未尽和未当之处，他的功劳却不可蔑视！同时，在王和青木两人之后，国人也有不少剧史一类的著作问世，惟都不免作文抄公，人云亦云，确是事实。

现在，浅学如我，也想写《中国戏剧简史》，原是多余的工作！然而为什么又有这企图呢？只因为过去我在国立东北大学及私立女子金陵文理学院都曾向学生们讲过这一门东西，以后恐还得讲，为免却老是在讲台上信口胡说起见，不如写下一个纲要。至于胆敢应商务印书馆之约而公之于世，那还不是"著书都为稻粱谋"？实事非得已也。

在写的时候，我想尽可能寻些话说说，免得百分之百地人云亦云，所以在原则上是人详我略、人略我详，即使引用旧材料，也想力避雷同，遇不得已时始如法炮制。再则他们对于元明两代作家的时地，剧曲的文章、故事、版本等都详述过了，用不着我再来啰苏，于是也就换个方向，说些和演剧有关的事。因为我自己就上过人家的当，不必要骗人家和我一样地在读了王氏和青木的书以后再读该两书的摘记似的剧史书；并且在纸张印刷都高昂的现在，浪费也不应该。不过这样做，于我自己则不很有利，至少，凭空要增添了不少麻烦，但对读者也许较为有益。企图如是，能否完全做到，却还得看力量够不够，实则自己也并无绝对的把握。

因此，拟在元代以前及以后要比别人的详点，而尤其是元以前。同时，我觉得写任何一门专史，倘专叙些史实，也不能免却雷同。历史事实不能容许捏造如现代的战报，甚至饰词都不能用，绝不能以转移阵地来掩饰城池失守。故只能在不歪曲史实的前提之下，采取与其叙录史实，不如论述史事的办法，免得形同流水账簿。如此，则我所写的与其说是中国戏剧简史，不如说是中国剧史论略，我想试这样处理着。

其次，是关于剧史的看法，这问题相当重大，在此不能不说明我的看法，至于看法对或不对，那是另一问题，而也正是我所希冀于高明指教的。过去一般谈中国戏剧史的人，几乎把戏剧史和词曲史缠在一起了，他们所重视的是曲词，即贤明如王氏，也间或不免，所以他独看重元剧。我以为谈剧史的人，似不应该这样偏。元代剧史在文学上说，确是空前绝后，无可讳言；但在演剧上说，未必为元人所独擅，总不能抹煞前乎元或后乎元的各期之成就；而且一种东西的成长，一定有它前面的历程和后边的发展，把事物孤立起来看未免危险，何况我们所谈的是戏剧！戏剧本来就具备着两重性，它既具有文学性（Dramatic），更具有演剧性（Theatrical），不能独夸这一面而抹煞那一面的。评价戏剧应两面兼重，万一不可能，不得不舍弃一方时，在剧史家，与其重视其文学性，不如重视其演剧性，这是戏剧家的本分，也就是剧史家与词曲家不相同的一点。

在此，请先论戏剧的两重性，这也许是根本问题。这里让我先引些他人的话作为说明吧。

> 韩德（Hunt）说："所谓戏剧的（文学性）和演剧的（演剧性）这两个名称之间，确有一种正当的差别，前者指诗歌的内在品性，后者指是否适于上演。"

戏剧作家、批评家、剧史家都不能漠视这两重性。在这段话之后，为更易明了起见，可引用一节话为注脚。

> 马修士（Matthews）说："文学和口语间的差别，即专诉诸眼目的文学和专诉诸耳朵的文学间的差别，是没有比它更为明显的了。"

中国旧剧除了宾白外，固不是用口语，但曲词仍具有口语的品性，王氏也不否定此点，他也说："述事则如其口出。"这确是戏剧之所以为戏剧，不同于其他文学作品的要点。且戏剧的歌词对白能不能奏其效能，全在乎观众的耳朵受用与否；至于整体说来，当然与其诉诸耳朵，不如诉诸眼目，因戏剧这名词的希腊语原义便是"行动"，中国语原义也一样。戏剧固然需要言辞，但绝不及行动重要，所以有这么一句话："Actions speak louder than words."也正如哈密尔顿（Hamilton）所说：

戏剧是一个特意编来由演员在舞台上群众前表演的故事。

所以韩德对于戏剧的两重性，不厌烦地做更详尽的说明，于此不妨再赘引：

诗歌中的剧本，也必须不但具备文学的品性，而并具备戏剧的或排演的品性，以期舞台上得到成功。它必须具有舞台的品性，就是使适宜于公演的那点东西。戏剧制作者的第一问题，是如何可以使他的思想体现于能够拿去表演的书面形式。

这话，我们应该首肯。戏剧的书面形式不是为摆在书房中桌子上用的；确是为放在舞台上观众前由演员演出用的，尽管罗马的辛尼加（Seneca）的书房戏剧（Lesedrama）也有它的价值，其价值究竟有限的！进一步讲，戏剧的演剧性较文学性更为重要，到了不能两面兼顾时，宁可抛弃了文学性而取演剧性。这也就是我和其他剧史家不同的看法，我是和意志斗争说的发明者的看法相同的。

蒲鲁奈谛（Brunetière）说："一个剧本并无必须是文学之义务。"

因此，一个剧作家必须有舞台知识。森次巴立（Saintsbury）说："凡是没有舞台的实用知识的，都不能写出一本可演的剧本。"所以白郎宁（Browning）、拜伦（Byron）、丁尼生（Tennyson）等也作过剧本，他们终于只是诗歌史上的天才，不能成为戏剧史上的巨人；反之，莎士比亚（Shakespeare）、莫里哀（Molière）便会是装饰世界戏剧史的灿烂明星，其理由也正在于此。

自然，两者兼顾是最上乘，而且能垂之久远的上乘作品也往往两者具备的，莎士比亚的作品，就是绝好的证品。所以，或人说:"一个剧本的垂久,虽然靠着它的文学的品性;它的成功却靠着戏剧的品性。"但韩德说:"理想的戏剧是同时可以表演的,也能符合最好文学的模范的。"

其实,理论上如此,事实上也如此。一个剧本的优劣,只能在舞台上演出后方可决定。我不妨举一个自己亲身的经验为例:在幼年时读了纪君祥的《赵氏孤儿》,被那故事感动了,但那感动是有限的,只比读《左传》稍加些激动罢了,及至看了和调班(温州的乱弹班)演出它(似名《八义记》),我当时的感动,真是到了无言可以形容的地步,那不只被故事,而且被演技感动了!后来又看了昆腔班演和京腔班演,比起来,还是乱弹班的演技增加了它的价值,不管人如何捧余叔岩、孟小冬的《搜孤救孤》,真正把这戏剧演好的还属地方戏班。而王国维先生对此剧推许备至,法国的伏尔泰(Voltaire)移译它,都是看重它不只是值得读,而亦优于演出的缘故。

基于这一些理由,我对中国剧史的看法,不能不异于那些词曲史家。对于整个中国戏剧之史的发展,也就在元明之外并看重古代和近代有关于演剧的活动。划期上,以上古迄唐为一期,这一期可称之为萌芽期;以宋元为一期,这一期可称之为完成期或隆盛期;以明迄清初为一期,这一期可称之为衰落期;以清中叶迄清末为一期,这一期可称之为复兴期;最后民国为一期，这一期可称之为新生期。一共五期，其中衰落期，是指戏剧艺术渐离大众，不是指词曲的衰颓；同样地，复兴期也就是指又回到大众方面来，不是指词曲的复兴。整个的看法是如此，但我在这里的分章却又不如是，也可说是未能免俗，依然分史前时期、先秦时期、汉魏六朝时期、唐宋时期、元明时期、清朝时期、民国时期等七章叙述，而每章标题又另用考原、巫舞、百戏、杂剧、剧曲、花部、话剧，是选每一章的特质——每一时代的主要艺术形态为目。

最后，我还要说一点我对整个戏剧之史的发展的臆测。人们都说戏剧起源于祭祀时的巫歌巫舞，如严格点，不能说无语病。戏剧的源应该更加上溯，如果不愿意，就该更移下，直截了当地说中国戏曲源于唐宋大曲也可以。既然用"源"字，就不能不说得更远些，因为事实确很遥远，在这之前还有一段久长的历程。巫歌巫舞已是次一阶段，不是最原始的东西，同时巫是由舞而来，不是舞因巫而有。在初民社会里即已有歌舞，且有巫的前身——人民大众自己。在氏族制度的社会里，氏族的领袖——酋长率领氏族成员从事歌舞。到了奴隶制确立，奴隶作巫，而歌舞到这时候已变为娱人和娱神的乐歌乐舞，始用之于祭祀了。从生产方法方面说，以狩猎及掠夺为生产方法，过着茹毛饮血生活的原始人，他们每个人为了模仿欲所推动，为了生活攸关而有表达情意之需要，就以嗓声叫喊，以身体动作，那时的歌和舞都是极朴素的，连节奏也不会有。这一种原始的艺术活动，就是后来的乐歌乐舞之基本的素材。

跟着历史的进展，人类的审美观念不自觉地产生，在歌和舞上伴着节奏和旋律，乐歌乐舞被形成，而生产方法未由狩猎掠夺递变为从事农业，社会制度也未递变为奴隶制时，氏族的领袖就率领氏族成员共同从事这种艺术活动。那时的目的，恐还只限于娱乐他们自己，如果有附带的作用，也只限于狩猎和战斗的练习罢了。

人类的生产方法变为农业了，社会制度也变为奴隶制了，劳动开始分工，专门从事知识劳动的巫觋于焉出现，为着祈禳或逐疫而有祭祀，在祭祀中用巫歌巫舞，这种艺术活动便由娱人变为娱神了。

历史是继续不断地前进，人类的智慧也一天一天地增加。由人类的智慧中创造出封建制度，高高在上的人知道自己比虚无缥缈的神祇更有力量；生产方法也因智慧而变多了，农业之外还有工业，还有商业；对以歌舞娱神固不加以厚非，却总得以娱自己为第一，于是巫觋可有可无，还是使巫觋的后身出现来得重要。因此在封建制度的社会里，便有了俳儿戏子。又因着商工业的特别发达，封建制度不能不崩溃，商业资本一天一天地发展、集中，资本主义制度社会出现于地上，俳优的艺术活动——戏剧也跟着发达。可是，就此为止吗？不，历史是不会中止的，资本主义已达到它的高峰，是终究要崩溃的。在这个社会里，俳优却变为剧人而出现，而从事艺术活动的这些剧人，也已完成了辩证的发展。君不见由人民大众自己到氏族的领袖，他们的地位是多么的崇高，降而在奴隶制度社会里的巫觋地位虽已趋低下，却也还不失为知识劳动者。及到了封建制度社会，他们一跌就跌到了万丈深坑里去，变为被皇帝、贵族们玩弄的俳优，越下去毕竟成了像姑（相公），居然和忘八同列。这里边便产生了绝大的矛盾，以今比古，地位却遥遥相对——矛盾，对立。因此从事戏剧艺术活动的人——剧人觉醒了，为了他们自身，为了戏剧艺术，为了未来理想社会的建立，谁敢说不会完成了他们的希望呢？这前途该是光明的！我确以这样的心情，这样的看法，来试写这中国戏剧简史。但心有余力不足，幸海内外高明有以指教，而也祈求原谅我的浅学！以致未能完全照我前面所说的做到。

第一章 考原（史前时期）

以往曾有不少人论述过戏剧的起源，所论的差不多都认为由于歌舞；但论到歌舞的兴起，便各有各的说法了，自然，其间仍不无共同之点在。例如王国维在其《戏曲考原》中说："歌舞之兴，其始于古之巫乎？"这话的含意似乎是说有巫，始有歌舞。所以卢前在《中国戏剧概论》中说："王氏主戏曲出于宗教的巫。"其实，王氏之说未尽精，人类原先有了表情意的歌舞，后来才发展到巫歌巫舞；要是说有了巫，歌舞始致其用，而用之于祭祀则可；直指有巫始有歌舞恐未可。许之衡在《戏曲史》中说："上古之时，即有歌舞。"这话很对；不过，许氏接下说："《帝王世纪》云：黄帝使伶伦氏为渡漳之歌，伶伦氏乃司乐之官。"似乎也有问题，姑无论《帝王世纪》所云是否有此事实，仅就歌出于乐官一点说，大不可靠！我以为歌舞之生自生民始，因人类原有一种普遍的特性——模仿欲，现在我们在儿童身上就可发现这一种本能。原始人就基于这一种模仿欲及事实上须以嗓音或手势表情意的需要，于是产生了歌和舞，譬如"歌"字，在古文"謌"从可，可字从口从丂，这个丂便是呼号的号，当然是吁嗟咏叹之类的音声表现，也就是原始最单纯朴素的歌；至于舞，让在下详，姑不谈及。

在此为明白解释上述的理由，引用德国格罗塞（Ernst Grosse）在所著《艺术的起源》中所说的话来代替，他说："剧烈的动作和节奏动作的快感，模仿的快感，强烈的情绪流露中的快感——这些成分，予热情以一种完全的解释，原始人类就是用这种热情来研究跳舞艺术的。"确实如此，歌舞之生，当自情感的流露，虽本身含有节奏，却并未伴上音乐；到后来，人类有了审美观念，知道怎样加文饰，乃以乐节歌舞，乐人就为此而生，或为创此而生；同时因有乐人，然后方有乐官如所谓伶伦辈。也就是说，乐人乐官绝不能先于原始纯朴的未加审美文饰的歌舞而有，至多只能说先头那种因审美观念而加文饰——即在自然而生的歌舞素材上加修饰变成乐歌乐舞时，始有伶伦一类的乐官。显然的，这主戏曲出于乐官之说，较王说更为不当，因为他漠视了前一历程，仅执着了后一现象，即王氏也犯了同样的错误。

比较高明一点的见解，还算《原戏》的作者刘师培，然而也有问题，他说："颂列于诗，犹戏曲列于诗词中也。"因为他认为："颂即形容之容。（《诗谱》云：颂之言容也。《释名》云：颂，容也。《汉书·儒林传序》云：徐生以颂为礼官大夫。注云：颂读为容。阮芸台云：颂，正字；容，借字。）"实际上，颂诗本身已是乐歌，就是那在原始表情意的歌之上加了审美的乐节而成的乐歌；至于颂训为容，正足以证明此种乐歌附带有拟态（Pantomime），因为单纯的歌本身借音乐节其抑扬顿挫之情，同时用乐歌来节拟态——舞，两者有了血缘关系，趋于不可分之境。这歌必伴舞、舞必随歌的情形，在原始社会确是如此的，不过这已是进步了的阶段，在它——就是刘氏所指的颂诗的前头，还有一阶段，那就是我在上面所说的最原始的最纯朴的声音表情——歌，及动作表情——舞。

颂诗不过是已萌了文化之芽的古代所有的形态。这里我更可借用格罗塞的话，他说："音乐（Music）在文化最低的阶段上显见得和跳舞（Dance）及歌曲（Ballad）结连得极为密切。没有音乐伴奏的跳舞，在原始部落间几乎极少见，也和在文明民族中一样。"相信原始人没有歌而不舞及舞而不歌的看法自属正确，惟必以音乐伴奏，究是在有所谓最低的文化之时，这以前是不可能有的。因之刘氏所说"颂"和"容"的关系，我们可看作和此相同，所以刘氏又说："歌以传声，舞以象容。歌舞本于诗，故歌诗以节舞，以歌传声，复以舞象容。"两者相辅相成，后来的巫歌巫舞也就由这样产生形成的。在这些上面，我和刘氏的意见是相同的；所异者只在认为颂已是第二阶段的乐歌，不是最初阶段的由表情意的需要而发生的那原始朴素的歌曲罢了，为的是音乐或乐器这概念是后起的。格罗塞也曾述及："人类最初的乐器无疑地是嗓声（Voice），在文化最低阶段，很显然地声乐比器乐流行得多。"我想更肯定地说：不只流行得多，而且流行得早。人类发觉音声表现需要调和（Harmony），接着感觉需要节奏（Rhythm），这调和并节奏合起来便成了所谓旋律（Melody），最后才需要乐器来节其旋律。由是，我认为有颂（乐歌）时便有了乐舞，二者相兼就成为巫歌巫舞，可以娱己娱人，甚至可以娱人类想象中的高高在上的神了。不消说由巫歌巫舞再进化，便爬到了戏剧的范畴，故说戏剧的前一阶段是巫歌巫舞，或颂诗，固无大碍，若论其根源，就得更往上溯了。

那末，在巫之前那些歌者舞者是些什么人呢？我想简单地答复：原始时代的歌者舞者是人民大众自己。那末，他们为什么要歌要舞呢？上面说过的模仿欲和表情意的实际需要，固可作为这个问题的答案。倘要更深入点说，我可以答复是为了生活所必需，关联着当时的生产方法。因为初民过着茹毛饮血的生活，他们的生活资料是飞禽走兽，他们的生产方法便是狩猎，因之模拟飞禽走兽的声音和动作，并且也模拟猎取食物时的种种情状，有时也因为自然崇拜而产生一种迷信。关于此点，郝维曼耶（Havemeyer）在《野蛮人的戏剧》一书中曾加详述，大致是说崇拜自然为促进戏剧的一个原因，是由于以为凡模仿一件事情，能使该事件实现或消灭的观念产生的。一个猎人要表示他有神灵护佑，往往假装作打猎的样子，最后将掠得的东西剥皮杀死，因为他们相信只要经过这么一番模拟，事情便可如愿地实现的。这种说法很正确，我想简括地说：这种模拟舞，倘行之于事前，大都是狩猎和搏斗技术的练习；倘行之于事后，大都是表示衷心的欢悦。原始的歌，原始的舞，便是反映这一种意识形态的东西，许是没有疑问的。

同时，我们可以想象初民不一定每人每日都能猎到生活的对象，自然有某些人猎得多些，某些人也许什么都没有获得；但是他们要生存啊，于是产生了掠夺行为，也因此产生了战斗，所以那时的歌舞，也往往是有关于战争的练习。基于这一种看法，我发见在戏剧这两个字上就透露了个中消息。

如果说人类在过茹毛饮血的生活的时期，他们的生产方法主要的只有两种的话，那该是狩猎和掠夺（也可说战斗）。"戏剧"这两个字本身的构成就含此意味，"戏"在《说文》上说是："戯，三军之偏也。一曰：兵也，从戈，䖒声。"不只"戯"从戈，而且"劇"从刀（或力），表示戏剧的根源在于用勇力或武器战斗；同时《说文》云："豦，斗相丮不解也，从豕虍，豕虎之斗不相舍。……一曰：虎两足举。"这不是更说明其另一根源与狩猎有关吗？并且如认为古人将文舞称为"舞"，而将武舞称为"武"，那末，德国格罗塞的话在此恰适用，他说："跳舞的特质，是在于动作的节奏之调整，任何一种跳舞，都有其节奏。狩猎民族的跳舞，依据它们的性质，可分为模拟式的及操练式的两种。模拟式的跳舞，是对于动物和人类动作的节奏之模仿；而操练式的跳舞的动作，却并不跟从任何自然的模范。这两种跳舞，在最原始的部落里，所处的地位是并驾齐驱的。"似乎这两种形态都可视为戏剧的素材，也许模拟舞较操练舞更原始些。那末，戏剧既然有操练战斗的含义，戏从戈，剧从刀（或力）的用意，便可了然了。同时，刘师培在《古乐原始论》中也有此种意见，他说：

上古人民竞争日烈，兵器不可须臾离。然民不习劳则薾弱多疾，而服兵之役弗克胜，故古人又作为乐舞，使之屈伸俯仰升降上下，和柔其形体，以廉制其筋骨，庶步伐止齐，施之战阵而不忒，此古人重乐舞之微意也。

此说颇得其当，亦即我在上面提过的"倘行之于事前，大都是狩猎和搏斗技术的练习"之意，不过刘氏这所谓"上古"，恐已是指殷周之际，纯粹模拟表情的歌和舞，已上了乐歌乐舞的阶段。这操练式舞蹈的目的，在服兵之役，也就是姚华在《说戏剧》一文中所说的："戏始斗兵，广于斗力，而泛滥于斗智，极于斗口，是从戈之意也。"姚氏此说甚精，但尚有问题，我以为在斗兵之前，还有一段历程，这"始"字用得未妥适，前已论及，兹不再赘。

关于战争、狩猎和戏剧的关联，这里可借用白琳嘉（M. F. Bellinger）在《戏剧简史》中的话代我说明，他说："还有做手势跳舞也是极古的，和宗教、战争、求偶、觅食有不可分的关联；模仿兽类的动作，学稚兽的嚎叫。"又说："在战前举行的仪礼，也是根据预兆的观念演一种默剧，演员假装偷袭敌人，歼敌以后，凯旋而回。"这便是原始的战争舞（War Dance）。他还举例说苏门答腊有一种颇具戏剧意味的战舞，描述战争正在进行，离战场有相当距离的某处，有一个疲累不堪的战士，坐在地上休息，把武器放在身旁，一边拔脚底下的刺，一边很小心地注视着四周。这时假设有一个敌人偷偷地上场向他袭击，他尽力抵抗，终受伤身死；胜利者砍下他的头，握在手里，但仔细凝视，方发现了所杀的不是敌人，而是他自己的弟弟，于是袭击者陷于痛苦和悔恨中了。并且曼台（Mundy）也说过，在New South Wales地方看见过一种模拟的战争舞，舞者挥着棍棒、长枪、盾牌之类的武器，演出一幕既纷杂又野蛮的动作。像这一类东西，在咱们中国也不是没有例可举，梁任昉《述异记》云：

> 秦汉间说："蚩尤氏耳鬓如剑戟，头有角，与轩辕斗，以角抵人，人不能向。"今冀州有乐名《蚩尤戏》，其民两两三三，头戴牛角而相抵，汉造角抵戏，盖其遗制也。

这条记载的来源，想是根据《史记》的。《乐书》云："蚩尤氏头有角，与黄帝斗，以角抵人，今冀州有乐名《蚩尤戏》。"在我认为有趣味的，却是明显地告诉我们以战争和狩猎密切联系而混成了一种戏剧形态。同时，我们知道西方也有类似的情形，古希腊在与波斯战争民族意识高扬之时成形的戏剧，是所谓悲剧（Tragoidia），它的语源本是Tragos，就是山羊的意思，由这产生了"山羊之歌"（Tragikos

Khoros），又一变而成为悲剧。且戏剧之神——酒神狄奥尼索斯（Dionysus）的侍从Sátyros就是山羊形状的东西，它是希腊神话中山川林野的灵物，为丰饶奔放的自然而生之五感的表现，跟森林牧畜狩猎之神Pán及Séilenas等都是酒神的侍从，常嬉戏于山川林野，而耽于肉欲的歌舞和饮酒。希腊人在酒神祭中，除有扮山羊形的"萨的罗（Sátyros）"跳舞外，还有缚牛尾巴于背而伏地做牛鸣，且同时跳舞的群众。这和咱们中国的所谓"昔葛天氏之乐，三人掺牛尾，投足以歌八阕"（《吕氏春秋》）有什么两样？《说文》云：

> 尾，微也，从到，毛在尸后，古人或饰系尾，西南夷皆然。

这话没有错，《卜辞》中的"仆"字像一个人捧着箕，而臀部系一尾做"⌒"状，和现在我们看到那些文化较低的苗民用鸟羽饰身的根源是同一的，不外乎由他们的祖先的生产方法——狩猎而来。并且古代牛尾的用处极广，不只限于饰身，用之于笔，甲骨文"聿"和女帚鬲"聿"，下边都示尾毛状；用之于刷，小篆"刷"之"⺆"即兽尾，这些和我们所谈的戏剧无大关涉，可以不谈；其他如"毨"为牦之段，即牦牛之尾，因而古有旄舞，如"千"（《毛公鼎》）及"㞢"（《卜辞》）均系尾而于戈便用之于武舞。所以舞之本身就表示以兽尾为构成要素，后人即称之为舞饰。例如：

  王宜人方褮孜，咸。（《作册般甗》）

这褮字中像一个人，垂着两袖，两手各执兽类的尾巴，在金文里是这样写，即甲骨文及小篆的舞字也都离不了兽类的尾巴，惟《说文》古文不同，作"㒞"，从羽亡声，实际还是一样，用鸟羽或兽尾的含义并无二致。总括一句话，我以为牛啦，羊啦，鸟啦，悉为原始人生活的对象，所以上面所举的黄帝子孙，就将敌人蚩尤当兽看，头上便有了角，好在《龙鱼河图》曾说："蚩尤兄弟八十一人，并兽身人语，铜头铁额。"说头上有角也就活该。不过我得说句老实话：如果让蚩尤的子孙记录这一件事，大有可能把兽角搬到咱们老祖宗轩辕氏的头上。由此看来，谁能否认艺术形态和人类生产方法没有血缘的关系呢？

综上所说，也不过只说明人类赖饮食而生存，又因此而产生了争斗，为这需要产生了歌舞，但在此外还有没有别种原因呢？有的，似乎也同样地不可忽略的，那便是和饮食同样重要的性欲。饮食男女，从不偏废，连圣人也说过"食色性也"的话，不是吗？所以他们也以舞，尤其歌来诱惑异性。由英国达尔文（Darwin）考究的结果，以为音乐和节奏的才能，是由我们的动物祖先，当初用以引诱异性的手段而获得的。他是从观察大部分的雄性动物多在繁殖期间利用他们的声音，一来发泄自己的情感，二来引起雌性的注意，而推断出这见解来。霍迪金孙（Hodgkinson）曾描述澳大利亚的跳舞说："我曾看见一种最令人讨厌的表现猥亵动作的跳舞。"据说Wachandi族有一种Kaaro舞，完全象征性欲冲动的，"甘薯成熟后第一次新月出来时举行跳舞会，且先由男子们饮食宴会开始；于是跳舞就在月光之下，四周围以灌木的凹地举行起来。凹地和灌木，是他们造成的类似模样，以代表女子的性器官，同时男子手中摆动着的枪，是代表男子的性器官。男子们环绕着跳跃，频频把枪捣刺凹地，用最野蛮和最热烈的体势，以发泄他们性欲上的兴奋"。这种表现，在文明民族中现在固不会有，但含着些许成分是依然的。转而看看中国的记载吧！陆次云《跳月记》中所说苗族的"跳月"，以吹芦笙、摇铃子、并肩舞蹈歌唱为择偶的手段，与上述情形恰恰相合，他说：

  苗人之婚礼，曰跳月。跳月者，及春时而跳舞求偶也。载阳展候，杏花柳梯，庶蛰蠕蠕，箐处穴居者，蒸然蠢动，其父母各率子女择佳地而为跳月之会。父母群处于平原之上,子与子左,女与女右,分列于广隰之下,原之上,相宴乐。烧生兽而啖矣,操匕,不以箸也;漉咂酒而饮焉,吸管,不以杯也。……女执笼,未歌也,原上者语之歌而无不歌;男执笙,未吹也,原上者语以吹而无不吹。其歌哀艳,每尽一韵三叠,曼音以缭绕之,而笙节参差,与为缥缈而相赴,吹且歌,手则翔矣,足则扬矣,膝转肢回,首旋神荡矣。初则欲接还离,少且酣飞畅舞,交驰迅逐矣。

是时也,有男近女而女去之者,有女近男而男去之者;有数女争近一男而男不知所择者,有数男竞趋一女而女不知所避者;有相近复相舍,相舍复相盼者。目许心成,笼来笙往。忽焉挽结,于是妍者负妍者,媸者负媸者;媸与媸不为人负,不得已而后相负者;媸复见媸终无所负,涕洟以归,羞愧于得负者。彼负而去矣,渡涧越溪,选幽而合,解锦带而互系焉,相携以还于跳月之所,各随父母以返,返而后议聘。

古代人的风俗习惯,固为我们所不及见,但就现存的许多兄弟民族中找寻,还是可以得到证明,这《跳月记》中所载即其一例,不惮辞废,在此再举一例:

清赵翼《檐曝杂记》:"粤西土民及滇黔苗倮,风俗大概皆淳朴,惟男女之事,不甚有别,每春月趋墟唱歌,男女各坐一边。其歌皆男女相悦之词。其不合者亦有歌拒之,如你爱我,我不爱你之类。若两相悦,则歌毕辄携手就酒棚并坐而饮,彼此各赠物以定情,订期相会。甚有酒后即潜入山祠中相昵者,其视野田草露之事,不过如内地人看戏赌钱之类,非异事也。当墟场歌唱时,诸妇女杂坐,凡游客素不相识者,皆可与之嘲弄,甚而相偎抱亦所不禁。"

现在贵州的苗族,确还有用歌舞作为择偶的手段。笔者抗日战争时在贵州也曾亲睹。自然,在西洋也一样,《戏剧的春歌》(*Dithyrambos*)便是生殖器崇拜的所谓《崇阳教曲》,柏拉图(Plato)说是歌咏狄奥尼索斯的一生事迹的,后世都渐渐忘去春祭的本意。或说狄奥尼索斯本来只是生命的精灵,他的形状不一,或为木,或为兽,或为人,或为阳具,最初时系用一木株,上面缠着布帛,木株被刻作人面,装饰以薜萝、葡萄及无花果,或做牛马状,舞踊的人也伏在地上作牛鸣,缚马尾于背,以像其状,意思是说这样模仿他的形状,模拟他的行动,能得到灵感(Enthousiasmós),因之与神相接;尤以扮羊为最多,后虽变形为丈夫,为婴儿,为少年,他的随从始终还扮羊形的萨的罗，而这种崇阳主义（Phallicism）所崇拜的Phallos神，实为男根，这便是酒神狄奥尼索斯神的原型，故淫猥的形体和言词，都永远保留在喜剧之中。

觅食、战争、求偶既成为根本的源泉，足见"歌舞之生自生民始"的话是不会有问题的，最后方论到宗教信仰。人类至于祭祀祈禳用歌舞，人类的历史阶段已向前跃进一步。在氏族制社会的人们已脱离茹毛饮血，而用五谷充饥了，生产方法也逐渐由游牧、狩猎进到农耕种植了吧？显然同样地，祭祀和初民的生活是不可分的，和生产方法——农业非常密接。

我们知道在头脑简单的初民，对于一切自然现象是不能理解的，可是那些现象又和他们自身赖以生存的农耕太有关联，当然不能置之不理，理它而又没有能力明白它的所以然，于是对这自然的伟力，如打雷、闪电、刮风、下雨之类，可以左右种植的伟力，生出畏惧的念头，由畏惧而生出崇敬的心情，由崇敬便产生了祈禳报飨的举动。这些举动便是祭神的祀典，在祀典中用歌呼舞蹈，这歌呼舞蹈便成为"巫歌""巫舞"。

在这里，让我先论一下祭祀。中国人的宗教观念，颇近似于西方的罗马人，他们讲究现实，着眼功利，对农业又有高度的能力，这些几乎和中国人差不多。在罗马，因农业社会心理上的影响，从而产生许多和季节耕种有关的神，不说那些园圃神（Vertumnus）、果树神（Pomona）、百谷神（Liber）、田野神（Faunus）、粪壤神（Sterqulinus）等多得数不清；甚至在希腊，明明是国民理想中英雄的Heracles，一跑进罗马的神群，便变成了围场的大力神。显然地，在中国同样受农业社会心理的影响，也有许多和季节耕种有关的神，尤其相同的是对神的看法，罗马法罗（Varrs）说："察明某事某神能赐助，跟必须查明木匠或面包师住居何处，实为同一重要。"罗马人的功利主义，使他们以为宗教是一种互惠的行为，某神有力量助他，他才祭；祭神，神必须助他。而中国人的祭祀何尝不如是？目的是求护佑，所以对神很客气地供酒肉。不过，中国的祭典固多，和戏剧最有关的似只有蜡祭。凡谈戏剧史的人都知道；可是我想在这里加以申说，自然，我所要谈的是"蜡祭"和生产方法的密切关联一点，但为了蜡、䄍、腊、臘有点缠夹不清，不能不多予以考辨。

征诸古文献，说蜡祭始作于伊耆氏，《礼记·郊特牲》云："天子大蜡八，伊耆氏始为蜡。"人谓帝尧姓伊祈，蜡即自帝尧始，而传说中的尧时代，农业已盛，该是行蜡祭之时而非始作蜡之时，因为这个祭和农耕极有关联。皇侃谓伊耆即神农，这说法似乎比较合理些。

《易·系辞》:"神农氏作,斫木为耜,揉木为耒,耒耨之利,以教天下。"

《周书》:"(神农)为耜钼耨,以垦草莽,然后五谷兴,以助果蓏之实。"

《礼含文嘉》:"始作耒耜,教民耕,其德浓厚若神,故为神农也。"

自然,帝尧和神农同是传说中的古天子,确否有其人,还是疑问,但假设确有的话,我想从皇侃之说较近理,神农黄帝时代,可认为由狩猎经济转化到农业畜牧经济的时期。所以以下我先谈"臘",后谈"蜡"。

《说文》:"臘,冬至后三戌,臘祭百神。从肉,巤声。"

我是主"臘"即"蜡"之说的,以为在某一代名蜡,某一代名臘,实是同一个东西,譬如应劭所说:

《风俗通义》:"谨按《礼传》夏曰嘉平,殷曰清祀,周曰大蜡,汉改为臘。"

顾炎武说："三代以前择日皆用干……秦汉以下始多用支，如午祖、戌臘……是也。"这和《增韵》所说合：

> 夏有三伏，冬有臘，故称岁时伏臘也。历家以运墓日为臘，如汉火运，火墓于戌，大寒后戌日是。

应劭也说："汉家火行，火衰于戌，故曰臘也。"只是说明这汉代"所以臘"及"臘必在戌"的理由最详细的，应推高堂隆，他说："帝王各以其行之盛而祖，以其终而臘，火生于寅，盛于午，终于戌，故火家以午祖，以戌臘。按，必在冬至后三戌者，恐不在丑月也。"观此，均以为名臘自汉代开始。但又有另一种说法：

> 《后汉书·明帝纪》李贤注曰："始皇更臘日嘉平。"

这样说，则臘名始自秦，实则在秦前，史游《急就章》王应麟《补注》也说："《左传》'虞不臘矣'，非始于秦也，汉火臘衰于戌，故臘用戌。"也等于说在春秋时已有臘。至秦改名，到汉又用。同时这也不是毫无原因的，据《秦本纪》惠王十二年初臘记"秦始行周正，亥月大蜡之礼也，始皇三十一年十二月更名臘曰嘉平，十二月者丑月也，始皇始建亥而不敢谓亥月为春正月，但谓之十月朔而已。"所以更名臘曰嘉平，改臘在丑月，用夏制。蔡邕《独断》就和应劭《风俗通义》，说："夏曰嘉平，殷曰清祀，周曰大蜡，汉改为臘。"不过总括各说，认定祭只一个，惟代异其名罢了。然而用臘名祭，除上说外，还有何种含义呢？应劭已下过解释：

> 臘者猎也，言田猎取兽以祭祀其先祖也；或曰腊者接也，新故交接故大祭以报功也。

并且《五礼通考》所注《月令》中也这样说：

> 《礼记·月令》孟冬之月臘先祖五祀。注：臘谓以田猎所得禽祭也。

而《史记·秦本纪》也有类似的说法："秦惠文王始效中国为之，故云初臘，猎禽兽以岁终祭先祖，因立此日也。"这三条说法值得注意，既关联到生产方法——狩猎，又关联到祭的对象——先祖，因此，我臆测"臘祭"和"蜡祭"原二而一、一而二的，不过臘之名产生的时期较早于蜡，是在人类以狩猎为主要的生产方法之时就有了。所祭的对象是自己的先祖，谢祖先护佑，是这祭的主要用意。至于蜡，我认为它开始自由狩猎经济转化为农业经济之时，祭的对象是和农耕有关的百神，但以八神为主。

蜡之名称虽都说起于周，大致可以相信，因周代的生产方法已经以农业为主要，夏殷之际则就不同了，或者名臘，到了周代把它固定下来，并以蜡名之也说不定。

《礼记·郊特牲》："天子大蜡八，伊耆氏始为蜡。蜡也者，索也，岁十二月，合聚万物而索飨之也。"

按《礼记·月令》"臘先祖五祀"《注》谓《礼记·月令》有臘无蜡，系根据秦制；《郊特牲》有蜡无臘，系根据周制，蜡臘不过互名罢了。这个祭的用意在祈年祭祖先及百神，固然在《扬子法言》"不腾臘也欤"《注》臘作腊，蜡又通禧，恐怕这些字原是一字而异写吧？至于祈年，以及所谓索飨万物，目的都是为了农耕，恰符合我的想法。大致农耕者在收获以后为崇德报功起见，而有此祭，同时也为了息劳狂欢，一举两得，所以孔子对它特别重视。

《礼记·杂记下》:"子贡观于蜡,孔子曰:'赐也乐乎?'对曰:'一国之人皆若狂,赐未知其乐也。'子曰:'百日之蜡,一日之泽,非尔所知也。'"(按《孔子家语》作"孔子曰:百日之劳,一日之乐,一日之泽,非尔所知也。"为是。)

只懂得囤积居奇以求财富的阿赐,自然不懂得农民们的所以狂欢之故,孔子毕竟是他的老师,高明得多,方知道是农人们因百日之劳,好容易才换得这一日的欢乐,并不只知坐食的士大夫如孔子那样的人还不应该重视这个报功祭吗?(《太平御览》引杜公瞻曰:"蜡者,息民之祭。"故孔子云"百日之劳,一日之泽",亦即我所说的意思。)

就因为它是报功祭,举行的时间总在农隙,就在所谓腊有新故交接之义的交接的空隙——夏正十二月举行。所祭的对象是有左右农耕之伟大威力的八神:

(一)先啬(神农之类)

(二)司啬(后稷)

(三)农(古之农官田畯)

(四)邮表畷(井间之处)

（五）猫虎（猫食田鼠，虎食豕，迎其神而祭之）

（六）坊（堤坊）

（七）水庸（沟渠）

（八）昆虫（螟蝗之属）

对此，《礼记·郊特牲》有很好的解释：

蜡之祭也，主先啬而祭司啬也，祭百种，以报啬也；飨农，及邮表畷，禽兽，仁之至义之尽也，古之君子使之必报之；迎猫，为其食田鼠也；迎虎，为其食田豕也，迎而祭之也；祭坊与水庸，事也。曰："土反其宅，水归其壑，昆虫毋作，草木归其泽。"（蔡邕《独断》和此稍异："为位相对向，祝曰：'土反其宅，水归其壑，昆虫毋作，丰年若若，岁取千百。'"）

综上所述，把"腊""蜡"当作一种祭典较合事理，腊者猎也，猎禽来祭祖，表示不忘本，开始于以狩猎为主要生产方法的时代；蜡者索也，索飨百神，祈年报功，开始于以农耕为主要生产方法的时代，创作之者是当时的人民大众，从事这个的也是当时的人民大众。我想暂且下了这个断语。当然，这样论断不是我个人的创见，有一半是受了他人所说的启示，如《礼记·月令》说，蜡腊同日祭，不过互名，据田猎取兽名之为腊；因索飨百神号之曰蜡，其日上祭先祖，傍飨百神，下息万民，并没别的祭。郑玄一班人也说，蜡腊先祖五祀是为的劳农，后来蜡腊两者兼设，蜡在十月，腊在岁终。隋开皇四年开始停止了建亥的蜡，直改为建丑的腊，这是依五行火衰于戌而用戌日的缘故。总之，我以为应该这样说："夏殷曰腊，周改为蜡，秦又改曰嘉平，汉复古称仍曰腊；腊蜡本系同日祭而互名，乃隋始分为两次祭，蜡在十月，腊在十二月。"这并非根据古文献推断出来，不过是我依据人类的生产方法而得的臆断。夏殷二代，或其以前，人类以狩猎及畜牧为主要的生产方法，猎兽祭祖并配飨百神的事必然有，那只有名此祭为"腊"绝不会用"嘉平""清祀"一类文绉绉的称呼，如《风俗通》《独断》之类的作者把初民看得和自己一样好掉文，因之独断为"夏曰嘉平，殷曰清祀"，同时由春秋时已有"腊"一点来看，这名称虽然没有文献证明开始于春秋以前的夏殷，但由生产方法来推测，是大有可能的；也正如孔老夫子所说："夏礼吾能言之，杞不足征也；殷礼吾能言之，宋不足征也，文献不足故也；足则吾能征之矣。"我们以生产方法代文献，也许不能算足，大致是我们能征之了。就这样，到了周代，狩猎、畜牧退居于次要的地位，农业变成周人主要的生产方法，所以改为"蜡"，以祭和农耕有关的八神为主；秦因建方的关系不敢言亥，开始用文雅的称谓曰"嘉平"，名异实同；汉人因火行衰于戌，并儒生们喜欢憧憬三代的旧仪，所以又恢复了古名，名之曰臘吧？

上古那些天真诚朴的人民大众，在祭祀的时候便用酣歌狂舞以表衷心的喜悦，同时娱神，到了有乐器的时候，开始用乐器来节旋律。

> 《周礼·春官宗伯》下："凡国祈年于田祖，龡豳雅，击土鼓，以乐田畯。国祭蜡则龡豳颂，击土鼓，以息老物。"

说到这里，不由我不又连带地想起了西方希腊的酒神祭（The Dionysiac Procession）似乎也和此类似，因为狄奥尼索斯神，相传到处教人种植葡萄和五谷，所以每年举行圣节都在采集葡萄酿酒或春归时。祈祷人畜禾稼的长养，报谢神赐的丰收，于是"情动于中而形于言，言之不足，故嗟叹之，嗟叹之不足，故咏歌之，咏歌之不足，不知手之舞之，足之蹈之"了。春歌（Dithyrambos）由是生，悲剧（Tragoidia）和喜剧（Komoidia）也由春歌生，中外都是一个根源。再则，狄奥尼索斯除和种植有关—如我国的后稷外，又是保护人类生命力坚强的神，他曾为了人类的健康和群魔斗，受苦难，不惜牺牲，希腊人祭他，有附带地祈求神为驱除疫疠之意。在中国古时固然不把这层意义附加在臘祭或蜡祭之内，却不能没有，这是件更有趣味的事，在中国就有了专为此而设的"傩"。有好多古书上提及此事，如：

《论语》："乡人傩。"
《后汉书·礼仪志》："先臘一日，大傩。"
《东京赋》："尔乃卒岁大傩，驱除群厉。"

其他如《礼记·月令》《吕氏春秋》《淮南子·时则》都提及"傩"，现在根据《吕氏春秋》，知道这"傩"的仪式，一年还不止举行一次，竟有三次之多，计：

（一）春季"国人傩，九门磔禳，以毕春气"；
（二）仲秋"天子乃傩，御佐疾，以通秋气"；
（三）季冬"命有司大傩，旁磔，出土牛，以送寒气"。

上引所谓"毕春气""通秋气""送寒气"是"傩"的设

置目的，即臘祭也有送寒气的意义，故有云："大寒至，常恐阴胜，故以戌日臘，戌者，温气也。"然"傩"不止上举一种目的，更重要的是和身体健康有关的索室驱疫。

《吕览注》："命国人傩，索宫中区隅幽暗之处，击鼓大呼，驱逐不祥，如今之正岁逐除是也。"

又，《论语》之"乡人傩"，在《礼记·郊特牲》作"乡人裼"。注："裼，强鬼也。谓时傩索室驱疫，逐强鬼也。"强鬼当然就是疫鬼，本来，鬼原是疫疠的引申，疠原训疾或鬼。这种逐除举动，自古及今，无时或废，前在北平雍和宫每年举行的"喇嘛打鬼"想即此。在蔡邕《独断》中说得更详，简直把疫鬼的履历都写出来了。该书云：

疫神，帝颛顼有三子，生而亡去为疫鬼，其一者居江水，是为疟鬼；其一者居若水，是为魍魉；其一者居人宫室枢隅，善惊小儿，于是命方相氏，黄金四目，蒙以熊皮，玄衣朱裳，执戈扬盾，常以岁竟十二月，从百隶及童儿而时傩，以索宫中，驱疫鬼也。（《后汉书·礼仪志》引《汉旧仪》说略同。）

这确是"傩"最主要的目的,他如九门磔禳、送气、出土牛等,只可说是次要的。

那末,为什么这举动称为"傩"呢?《吕览》说:"击鼓驱疫疠之鬼,谓之逐除,一曰傩。"逐除之名易明,也就够了,如无他种用意,我想古人不会再出别号"傩"。这样,对"傩"字还得稍加论议。

按"傩"字在《月令》作"难",其义是难却。

《周礼·占梦注》:"难谓执兵以有难却也。……杜子春难读为难问之难,其字当作傩。"

《论语》皇疏引谯周云:"傩,却之也。"《周礼·方相氏》:"四时作方相氏,以难却凶恶也。"都做同样的解释。那末用"逐除"就得,何必另立名称?在这上面探究的结果,觉"傩"和干旱、饥馑、求雨大有关联,依然和农业不可分,用"逐除"不能概括整个祭典的意义,所以另立新名,而名之曰"傩"。

首先,我们得看看甲骨文,因为这是一面有关于文字历史的"照妖镜",可照见原形。

"丙戌卜殳贞,贞不莫。"(簠什101)

"□寅卜,我不莫。"(簠什128)

这个"莫"字像一个人穿着祭服而头戴大帽子,那末,这个人一定是在干一件十分郑重的事情,衣冠整齐,必非儿戏无疑。可是在《卜辞》中这"莫"和另一"羹"通用。

"出贞来了丁亥羹。"(契9)

这个"羹"字像人衣祭服戴冠站在火上面,普通的写法就是"熯",在《说文》:"熯,干也。"也就是《诗经·中谷有蓷》中"暵其干矣"之"暵"字,这便和古代求雨时暴巫焚巫关联,这个穿祭服戴礼冠的也许就是巫祝。《卜辞》中"兄""祝"都像戴冠,而这个冠又和"羹"的冠同一个样子,足证是求雨的一种举动。《说文》中的"馑""瘽""暵""難"等字,几乎都由这个"莫"字衍化出来,由此也可以概见"傩"的内涵相当繁复,为了篇幅有限,在此不能赘述。可也因为包括的意义较"臘"和"蜡"两祭多,而它的演出法也增繁,在这里引一条汉代的傩仪记录,以示其内容之一斑。自然,上古的傩仪,绝不能如汉代的复杂,但从事工作的人数之多,恐怕是大略相同的。

《后汉书·礼仪志》:"先腊一日,大傩,谓之逐疫。其仪:选中黄门子弟年十岁以上,十二以下,百二十人,为侲子,皆赤帻皂制,执大鼗。(《汉旧仪》曰:方相帅百隶及童女,以桃弧、棘矢、土鼓,鼓且射之,以赤丸、五谷播洒之。)方相氏黄金四目,蒙熊皮,玄衣朱裳,执戈扬盾。十二兽有衣毛角,中黄门行之,冗从仆射将之,以逐恶鬼于禁中。夜漏上水,朝臣会,侍中、尚书、御史、谒者、虎贲、羽林郎将执事,皆赤帻陛卫。乘舆御前殿,黄门令奏曰:'侲子备,请逐疫!'于是中黄门倡,侲子和,曰:'甲作食殈,胇胃食虎。雄伯食魅,腾简食不祥,揽诸食咎,伯奇食梦,强梁、祖明共食磔死寄生,委随食观,错断食巨,穷奇、腾根共食蛊。凡使十二神,追恶凶,赫女躯,拉女干,节解女肉,抽女肺肠,女不急去,后者为粮!'因作方相与十二兽舞,欢呼,周遍前后省,三过,持炬火,送疫出端门,门外驺骑,传炬出宫,司马阙门门外五营骑士传火弃洛水中。百官官府,各以木面兽能为傩人师讫,设桃梗、郁櫑、苇茭毕,执事陛者罢,苇戟、桃杖以赐公、卿、将军、特侯、诸侯云。"

这节材料是可珍的，告诉我们在傩仪里用怪奇的假面，华丽的服装，多种的道具，鼓鼗类乐器，有黄门和侲子唱和的歌词；有人兽的舞蹈。尤其壮观的是用了这么多的人，不过主要的舞者，却只有一个扮装黄金四目、蒙熊皮，且执戈扬盾的方相，而伴舞的很多，有"百隶"，更有"侲子万童"，规模相当宏大；在上古，想是整个氏族的男女老幼全体动员来干的，扮"方相"的，也许就是该氏族的酋长，可惜我还未发现有关于这一点臆说的较多证据。目前，只好姑且存疑，而这一篇《考原》也就考到这里为止了。

第二章　巫舞（先秦时期）

以上，我们还只考过了歌舞的泉源，其源在觅食、战斗、求偶、祈禳等。现在由史前时期进而谈到先秦时期，也就由考歌舞之源进而考戏剧之源。这源是什么？简单地说，便是先秦时期的巫舞。我们知道戏剧艺术发展的历程，绝不是孤立地四无依傍地去完成它自己的发展的，它确确实实伴随着社会形式发展的历程而一同迈进，因此在某一种类型的社会里，就产生了某一种类型的戏剧。一切艺术如是，一切文化都如是；同时在西洋如是，在中国也莫不如是。"巫舞"，可以说是先秦时期为了适合当时的社会形式而产生的一种艺术形态，所以这一章也就以"巫舞"为题。

谈先秦时期的巫舞，当然需要在甲骨、金文中去找论证，比较可靠，但想让在后面谈到巫舞本身时再引用，这儿先说在如何的社会制度之下方产生了"巫舞"？又"巫"究竟是如何的一种人？明乎此，方能谈到巫舞的本质怎样。在第一章里，我曾说和戏剧最有关联的两祀典——"蜡臘"和"驱傩"，在这两种祀典中便用得着巫舞。当然，除此而外还有许多场合用着它，而且或许比这更重要也说不定。为了篇章所限，前章未尽欲言，只好在这一章顺便地稍加补充。不过，好在最初的歌舞总脱离不了人和神鬼的联系，归根结蒂是同样的。蜡臘和驱傩，是每年例行的祀典，我们不能说除此而外就没有临时的举动，譬如说《诗经》所说的祭田祖，是农业社会里必有的祀典，和祭蜡一样，但我们不能说这便是祭蜡，也许是收获完成后马上举行的一种庆功祭。固然蜡祭也以祀田祖为主，却有其他东西配享；在这里，似乎专为田祖而设。

《小雅·甫田》："以我齐明，与我牺羊，以社以方。我田既臧，农夫之庆；琴瑟击鼓，以御田祖，以祈甘雨，以介我稷黍，以穀我士女。"

庆功之外，并祈甘雨、介稷黍，目的在求千仓万箱，所以说：

曾孙之稼，如茨如梁；曾孙之庾，如坻如京，乃求千斯仓，乃求万斯箱；黍稷稻粱，农夫之庆，报以介福，万寿无疆!

和当时的生产方法关联而有此祭祀。诗人已说明在这祀典中用音乐,可是我们联想到也有歌舞,即《大田》所咏也一样。诗人的灵感绝不因"伤今而思古",或"言矜寡不能自存"(小序所云)而发,完全是写当时之实,与其说因灵感,不如说因实际生活经验而咏。我们不妨再看《大田》的卒章:

> 曾孙来止,以其妇子,馌彼南亩,田畯至喜;来方禋祀,以其骍黑,与其黍稷,以享以祀,以介景福!

对了,一切以享以祀,都是为了介景福,那末,用什么祈求呢?不外乎用乐歌乐舞,娱神也娱己。

在氏族社会的初期,既然有了那么些祭祀神祇的仪式,这些活动在他们的生活史上显然是一种重大的事情,每个人都怀着严肃虔诚的心从事这一种活动,也是可想象得到的。当举行祭仪时,大权落在他们的政教领袖——氏族的酋长,他率领着全氏族成员来歌呼舞蹈,由以下的证文得到如此的推测,虽说只是一种推测,也可能便是历史的事实。

《周礼·春官宗伯》下:"司巫,掌群巫之政令,若国大旱,则帅巫而舞雩……国有大灾,则帅巫而造巫恒。"

假设群巫就由氏族成员来担当,那末司巫便是酋长,或者近于酋长的上层人物,他掌管着一切政令。古代大致是政教合一的,在平时部落的酋长是政治首脑;在祭祀时就当司巫,所以《卜辞》里常有王卜、王贞、王祝之类的记载,不能说这完全是偶合。

"今日王祝。"(铁75.4)
"壬子卜何贞王舞又雨。"(续4.24,11)

《卜辞》中类此的很多,兹不一一举。下面在《礼记》上也可以找到同样的记载,尤其《淮南子》载殷氏族的酋长汤祷雨于桑林的故事,更足以证明这一臆测。

《淮南子》:"桑林生臂手。"殷后变为兴云作雨之神,汤以大旱,祷之求雨,为舞以象其形。

即便西洋人也认为古代的巫近于酋长或即是酋长,弗来察（Frazer）在他著的《金枝》（*Le Rameau D'or*）一节中就有《巫觋犹王》（*Les Magicians Comme Rois*）的论述。退一步讲，即使古代的司巫不是部落的酋长或王，至少也该是高级的官吏，站在指导地位的，因为《周礼》郑氏《注》曾说："司巫，巫官之长。"再则，《礼记·典礼》所说的古代官制，也把巫祝放在很高的地位，序列在五官六府六工之前，足见巫觋的地位别说在史前时期，就在先秦时期，也还不怎样低下，《典礼》云：

> 天子建天官，先六大，曰：大宰、大宗、大史、大祝、大士、大卜，典司六典。

他们是围绕在政治领袖左右的人，即便到后来的初期奴隶制社会里，劳动生产方法已改变，私有财产已发达，工作渐繁多，谁都为了自己的生活而忙碌，从而劳动开始分工，便由少数人来专司其事，而这种仕神的工作该归入精神劳动或知识劳动一类，在封建制未萌芽之前，这种劳动恐怕都派在有知识的奴隶的身上。我们知道西方的希腊、罗马负荷文化工作的，大都是奴隶，希腊、罗马的文化繁荣的基础，谁都知道建立在奴隶群的身上。这一事实，很可以借用来比照一下。据说当时希腊的社会普通分三个阶级：一是公民（Citizens），一是外国人（Metics），一是奴隶（Slaves）。在雅典全盛时代，全部五十万人口之中，能享受文明幸福的为数极少，至多只有九万人左右，其余的三十六万五千人都是奴隶，此外，四万五千人便是少数的外国人及已脱奴隶籍的人，平均每一个成年的男公民至少有十八个奴隶。在百分比上占绝大多数的奴隶，在容忍苛酷的榨取和虐待之下工作，那些自由市民方有闲观看戏剧、竞技，因为奴隶们用血汗巩固了雅典文明的经济基础，并且也为之完成了一切上层建筑——文学艺术等。到奴隶制度发展至高度时为尤甚。罗马的战时俘虏概为奴隶，可以随意买卖，富家有蓄奴一二万人者，被奴隶主看作一种财产，而奴隶毫无权利，甚至不能为业主、为公民、为人夫、为人父。乡间的奴隶从事耕耘、做工、牧羊等工作；城市的奴隶从事差役、厨子、轿夫、车夫、马夫、书记、教师、演员、乐工、美术家及各种工匠。我们知道第一个把希腊悲剧带进罗马的，就是Tarentien之役俘虏来的奴隶安特罗尼古（Andronicus），再如凯撒（Caesar）命老武士拉俾里奥（Laberius）和叙利亚生长的奴隶赛里斯（Siris）合演他自己所作的默剧（Pantomime），拉俾里奥认为被侮辱，在舞台上大发牢骚。这故事，颇足证明在奴隶制时代，干戏剧这一知识、精神劳动的是以奴隶为主。中国自然不能例外。固然,东方自有其历史,不一定完全和西方的符合,一丝一毫都相一致,不过历史发展的轨范大概是一样,所以在古代奴隶制的中国社会以奴隶司知识、精神劳动一点上,恐无二致。在中国,专以奴隶司巫祝之职时,巫祝的身份虽显然较往日过原始共产生活那时的为低,却仍不失为社会所不可或缺的一种人,巫觋依然环绕着他们的政治领袖,且很得其宠任的,甚至在周代也还没有完全改变。

《国语》:"厉王虐,国人谤王,邵公告曰:'民不堪命矣!'王怒,得卫巫,使监谤者,以告则杀之。国人莫敢言,道路以目,王喜,告邵公曰:'吾能弭谤矣。'……三年,乃流王于彘。"

这个卫巫居然忘了自己也原是民,反由帮闲而做起帮凶来,不免令人吃惊!但古今都有这样的例子,不必深怪。这个故事告诉了我们,巫祝是和政治领袖常在一起的事实。《孔子家语》也说:

故宗祝在庙,三公在朝,三老在学,王前巫而后史,卜筮瞽侑,皆在左右。

这里所说的巫史卜菩菩,全是知识劳动者——巫觋,直到奴隶制烂熟时,奴隶遭受虐待,知识劳动者的巫觋,也因他们的出身卑下,连带着职业也成卑下的了。高高在上者固仍用他们来谄媚神祇,也只限于在祭祀的时候看得起他们,此外就不免被视为卑贱的东西,于是被列为四蠹之一了。

《逸周书·酆保解》:"四蠹:一、美好怪奇以治之;二、淫言流说以服之;三、群巧仍兴以力之;四、神巫灵宠以惑之。"

这也是自然的趋势,失去了政治权、经济权甚至人权的奴隶们,当然被统治者视为卑贱的东西,变成他们心目中害人的东西。这种观念,到后来封建制度社会里更厉害,继巫之后的"俳优"的地位就不得不更低下,其根源就在于此。假使再进一步探究其低落之源,恐怕是因为这些精神劳动者一直脱离了劳动生产之故,在劳动力很多的古代奴隶制度社会里,并不显得突出,却也已经只能勉强维持他们的精神地位,到了封建制度社会自然无法维持了罢?事实上则比这还提早些,在周文王的心目中神巫已不是一种好东西,故他在勉励禁诫后人的时候,便忘不了提及巫觋。

《逸周书·成开解》:"九功:一、宾好在笥;二、淫巧破制;三、好危破事;四、任利败功;五、神巫动众……"

但是,巫祝在初民社会里确是很崇高的,因为政教领袖和人民大众自己在祭至高无上的神祇时,都是巫祝。并且我臆测在母系制度的社会里,还可能是由女族长担任司巫一职的。

《说文》:"巫,祝也,女能事无形,以舞降神者也,象人两袖舞形。"

因此,《周礼》说有女巫无数,女祝四人。这巫祝想是古代官制中所必须有的,因为祭祀是一件和全氏族有关系的大事。那末,她们所司何职呢?

《春官宗伯》下:"女巫,掌岁时被除衅浴;旱暵,则舞雩;若王后吊,则与祝前;凡邦之大灾,歌哭而请。"
《天官冢宰》下:"女祝,掌王后之内祭祀,凡内祷祠之事;掌以时招梗祪禳之事,以除疾殃。"

凡洁身保健、祷疾求瘳、消灾除祸、求雨救旱等事，都由她们负责祈禳，而尤其是遇旱暵则舞雩，遇大灾歌哭而请，这歌舞艺术表现，不久便成为戏剧的根源，我们应该特别加以注意。而这些女巫女祝的地位，至少是她们的精神地位，确实很高，在郑玄《注》中曾说明："王吊，则与祝前。"《注》云："巫祝前王也。""若王后吊，则与祝前。"注云："女巫与祝前后，如王礼。"举行仪式时所站立的地位，正可以显示出她们的本身等级。在这里，一定有人要问："为什么她们有这样崇高的精神地位呢？"我想这样答："为了她们具有难能可贵的条件，干着氏族所理想的严重工作，是一群知识劳动者之故。"那末所谓难能可贵的条件是什么呢？那就是：

> 《国语·楚语》："古者民神不杂，民之精爽不携贰者，而又能齐肃衷正，其智能上下比义，其圣能光远宣朗，其明能光照之，其聪能听彻之，如是则明神降之，在男曰觋，在女曰巫。"

这里所说的条件相当高，在人民大众中精选方可得到。我们由此也可想见她们的知识程度绝不低下，具有了这些优点，才可以仕神，因为初民相信神祇有至高无上的威权，而也有圣洁无瑕的品格。在母系制度的氏族社会里的人,当然不能例外,她们也该和父系制度的封建国家里的人相信"凡男子都清洁,凡女子皆秽物"一样而持相反的看法,必然地认为"凡女子都圣洁,凡男子皆秽物",所以仕神这一严肃重大的工作,都由女子来担任,即使不全是这样,至少也以女的为主。女巫女祝的产生,确实以这个理由为根据。

这在认识神的观念上恐也有关联,中国人对神的观念,不像西方的希腊人那么天真活泼。希腊人崇拜神是能以智力征服自然力的勇者,福耶(A. E. Fouillée)在他的名著《欧洲各国人民的品性》(*Esquisse Psychologique des Peuples Europeins*)中曾下过解释说:

> 我们人类是常有一种可称为神的原素的思想,希腊人将这种思想移植于神,同时对这神而能赋与以调和的美丽的形象。他们如此地作成严肃崇高且永远不朽的神之形体,复之以精巧的思想,那末,希腊的神不在于单纯的自然力,而是以智力征服自然力的勇者。

并且他又说:

希腊人的神不是固定不动的东西，自由地有道德底人格，且各神有个性，又有社会底关系。那末希腊人的宗教，一言以蔽之，是心理学的，又是社会学的，在地上在天上都有王国，宙斯（Zeus）即为有权的君主。

因此，希腊人理想中的神的社会，也和人的社会一样，所以把神看作带人性，甚至带兽性的；可是我们中国人就完全不同，虽然也认为地上天上都有王国，有些人的看法并不都天真活泼，而是严肃顽固，认为地上的统治者已是神圣不可侵犯的，人格之外带神格；天上的统治者比这更至高无上，聪明正直，完整无疵，神格之外不再附有人格。那末奉侍这种圣洁无比的神祇，自然只有圣洁无比的女子才配有接近的资格了；然而这种认女子为圣洁无比的观念，是不可能在男子中心的封建社会里存在的。因此她们负荷了如下的使命：

《春官宗伯》下："凡以神仕者，掌三辰之法，以犹鬼神示之居，辨其名物。以冬日至，致天神人鬼；以夏日至，致地示物魅；以禬国之凶荒、民之札丧。"

固然，女系制转化为男系制的时候，女的丧失了政治经济的实权，她们的政治经济地位低落，可是这种精神地位还没有马上降低，到了奴隶制确立，她们的身份地位才开始降低。惟仕神用女巫女祝已成为一种自然的习惯法，社会制度虽由奴隶制再降到封建制，也还被沿袭着用的，不过她们所具有的神权和人权不相一致而已。看看顾炎武的说法，也可概见她们确实一代不如一代了。

> 《日知录》："《周礼》女巫舞雩，但用之旱暵之时，使女巫舞旱祭者，崇阴也。"《礼记·檀弓》："岁旱，穆公召县子而问曰：'吾欲暴巫而奚若？'曰：'天则不雨，而望之愚妇人，无乃已疏乎？'"此用女巫之证也。汉因秦灭学，祠祀用女巫；后魏郊天之礼，女巫升坛摇鼓。……《魏书·高祖纪》：（延兴）二年"二月乙巳，诏曰：'……顷者淮徐未宾，庙隔非所，致令祠典寝顿，礼章殄灭，遂使女巫妖觋，淫进非礼，杀生鼓舞，倡优媟狎，岂所以尊明神敬圣道者也。自今已后，有祭孔子庙，制用酒脯而已，不听妇女合杂，以祈非望之福。犯者以违制论。'"

可以使孔老夫子饮酒食肉，但不可以使他近女巫妖觋，卫道者们的心目中，妇女无非是秽物，然而，若论女巫之衰，当不自此始，不过自此为甚罢了。

依上面所述，不是说古代当巫的一定属女，自然也有男的。何况《周礼》还说过"男巫无数"及"男巫，掌望祀望衍，授号，旁招以茅，冬堂赠，无方无筭；春招弭，以除疾病，王吊，则与祝前……"等类的话。我只是说古代的巫大致以女的为主，以男的为副，尤其干着和咱们的戏剧有关的"以舞降神"这一工作，几乎百分之八九十是由她们担任的；至于其他知识劳动，则大致以男的担任为主，他们也就当仁不让了，如上面曾举的《国语·楚语》所说的"在男曰觋，在女曰巫"的话，几乎在别的很多书上也都同样说过，就我所知，如《公羊》隐四年传注、郑注《周礼》、《礼记》、《汉书·郊祀志》、《后汉书》臧洪传注、《淮南子·精神》注等都这样区分，那末，我们尽可大胆地承认女巫是后代所谓剧人的祖先。即在母系制转化为父系制之后，求雨舞雩的工作也未被男子们夺去，虽说《卜辞》中没有一个女旁的卜人的名字，但求雨则仍由女巫专任。例如：

贞勿赤嫜，亡其（雨）。（前 5.33.2）

这里的嫜，便是女巫之名，由此可概见。

那末,在以舞降神这一种工作之外,其他知识劳动还有些什么呢?这和戏剧固然是没有什么大关联,为了说明古代巫觋都属于知识阶层这一点,却不妨顺便叙一下:第一是医术,保护人类的健康和生存,非常实在,其重要性自然不下于祈禳。

《海内西经》:"开明东有巫彭、巫抵、巫阳、巫履、巫凡、巫相,夹窫窳之尸,皆操不死之药以距之。"

郭璞注:"皆神医也。"所以医字从巫,《广雅·释诂》也说:"灵子,医,𢍛,觋,巫也。"同时人类生存匪易,大都希望事先知道休咎祸福,俾有所趋避,因此,第二是卜筮。

《古史考》:"庖牺氏作,始作筮,其后殷时巫咸善筮。"

因此《说文》筮字也从巫,以蓍草卜休咎谓之筮,以龟壳占休咎谓之卜。不用工具,仅以口说,一如西洋的先知预言者的也有,那就是:

《列子·黄帝篇》:"有神巫自齐来,处于郑,命曰季咸,知人死生、存亡、祸福、寿夭,期以岁月旬日如神。"

《庄子·应帝王篇》所记的和此略同。第三是史。

《左传》:"其祝史陈信于鬼神,无愧辞。"

史也是巫的一种,祝史、巫史,一向是并称的。

《国语·楚语》:"夫人作享,家为巫史。"

即便司马迁也说史近乎卜祝。

《报任安书》:"文史星历近乎卜祝之间。"

实则古代的史不是近乎卜祝,本身就是巫觋。《周礼》所列占人、筮人、占梦、冯相氏、保章氏、大史、小史、内史、外史、御史都属于巫觋类的。不过这些和戏剧没有多大的关联,可以不必多说。我们所要究明的,是第四种"巫者",也即是"舞者"。在这上面,我们不只要说明古代的"舞者"即"巫者",而且要说明"舞"非由"巫"产生,事实是"巫"因"舞"而有,这是不同于前人所说的一点,同时我以为这一点次序的先后,意义非常重大。过去一些谈中国戏剧史的专家们，都以为戏剧源于祭祀，并且源于从事祭祀的"巫"，照那样说就是戏剧的前身是歌舞，歌舞是由巫创作的了。而我在前面《考原》一章中曾说过先有歌舞，后有巫祝，也就是说先有原始的人民大众所创作的质朴自然而不加审美的节奏旋律的歌舞，而后才有了祭祀时巫祝所用的乐歌乐舞，看法和前人的恰恰相反，因此，便不能不多加说明了。

按《说文》训"巫"为"祝"，已如上面所曾引，又训"靈"为"巫"；《玉篇》又训"靈"为"神靈"。那末，"靈""祝""巫"三者都是同一的东西。《说文》说"巫"字像人两袖舞形，而"祝"字在《卜辞》是从示从兄，或不从示，大致都是像一个人跽在地上张开了嘴巴，正符合了"歌哭而请"的表情。刘熙《释名》谓"祝，属也，以善恶之词相属者也"的话也对。有些《卜辞》中"祝"字或在一手上画了舞饰（前4.18.3）也符合以舞降神之意。这样，我们认为"祝者"即"舞者"，而"舞"也即是"巫"，因为在《说文》"舞""無""巫"虽分隶三部，金文里"舞"和"無"系一个字，在《卜辞》则三者为一，除了把"巫"当官职用的场合，则用同音可相通借的"戉"字，例如：

五牢天戉（前4.16.4）

贞坐于癸戌（后下4.10）

凡用"舞"字时大抵做动词用，想是先由动词的"舞"，后变为用作名词的"巫"吧。近人陈梦家曾把"舞"字字形的演变排列如下：

我们可以相信这个递变法是颇正确的，恰好说明了"巫"字由"舞"字逐渐简单化整齐化而来，同时也说明了有"舞"始有"巫"，这个发展过程的次序自极合理。于是，便扬弃了前人有"巫"始有"舞"的论断，我们还是承认"巫"由"舞"出之为愈了。

由此，我进而谈"巫舞"之主要的一种方式——上面曾数度提及的"舞雩"，补《考原》一文在蜡腊和驱傩之外未能谈及的缺，而且它也是用身体姿态表演最多的一种艺术形式。因为古代的巫者即舞者，所以遇旱暵便舞雩。《尔雅·释训》云："舞，号雩也。"便是这个"雩"，另写是从羽作"翌"，因为用的舞具是鸟羽，即用"皇舞"；同时，依《尔雅》的释法，可见舞雩不单是舞，兼有号，巫术的行为原是一种情绪的表演，在表演时绝不只用身体四肢，也附带着音声，舞蹈必兼呼号。《礼记·月令注》:"雩,吁嗟求雨之祭也。"那就必须在身体表情外加上音声表情,要不然,便难达到吁嗟请求的目的。于是《释文》引孙炎说:"雩之祭有舞有号。"大概古代在旱暵舞雩之时都是这样的吧。即便在其他文献如《公羊》桓五年《传》何《注》也说:"使童男女各八人舞而呼雩,故谓之雩。"也足以证明舞必兼号一事。"舞"即身体表情,"号"即音声表情,歌舞相兼,浑成一体,那便是后世戏剧的最原始的雏形。

至于舞雩这一个举动,我认为它始生于人类以农耕为生产方法的时期,因天时影响农业比狩猎游牧为大,初民遇到旱暵妨碍了他们的农耕时,他们别无他法想,只有向理想中有左右农耕之威力的神祇歌哭而请了。所以这种吁嗟请雨的舞雩,在那个时候特别被视为重大的举动,留在《卜辞》里的文句也就特别多,我们由《卜辞》的"舞"字十之八九用于求雨一点,可以得到有力的证明,例如:

戊申卜今日隶舞,业从雨。(拾 7.16)
乙未卜今夕隶舞,业从雨。(前 3.30.4)

此类甚多。这种举动,想在殷周之际是盛行的,可是到了奴隶制度烂熟之时，因为当舞者的"巫"多系奴隶，遇到旱暵舞雩之后，倘天仍不降雨，那末统治者就对"巫"不客气了，干脆把"巫"拉到火一样灼热的太阳底下去暴晒，一则惩罚巫者舞雩而不能致雨之罪（这是我猜想）；二则向天神用苦肉计，祈求怜悯而降雨，这种暴巫之举，当比舞雩后出，但它的年龄也很古老。董仲舒的《春秋繁露·求雨篇》中也说："春旱求雨……暴巫聚尫。"可知到这时也就把暴巫看作等于舞雩一样的普通例行公事了，统治者们看来是轻松平常，巫者却受苦说不得。至于事实上如此干法能否求得雨，当不在他们的计较之中，反正被暴的是下贱的巫，死活由她们去，好在劳动力并不缺少，便把她们晒死几个也不在乎。奴隶制社会创始了此例，到以后封建制社会自然也被沿袭施行，变成惯例，至少在他们看来是未可厚非的事情了。

由此，更进而谈歌和舞。人类知识一天一天地进展，由原始共产制跨入了奴隶制的阶段，单纯的呼号表情和动作表情——没有节奏旋律杂乱无章的歌和舞也开始蜕变为整齐而较复杂的乐歌乐舞了。这一向被人认为是戏剧的幼芽，事实也没有错的，不过在它们前面还有单纯的歌舞，那正是戏剧之原始的胚胎。到用之于祭祀或舞雩时，所用的不是那原始的胚胎，而是用那幼芽了。就说舞雩吧，在最初也许仅用痛苦的呼号，后来所用的恐是像《诗经》里的颂诗似的有乐节、有内容的乐歌。自然，这只是我的猜想而已；且根据《周礼》，确实已够复杂了。

《春官宗伯》下："以六律六同五声八音六舞大合乐，以致鬼神示，以和邦国，以谐偕万民，以安宾客，以说远人，以作动物，乃分乐而序之，以祭，以享，以祀……"

音乐已经如此繁复，用以合乐的歌繁复程度便可想见，说这是后世戏剧的幼芽，似乎有点藐视了它。乐歌既然如是，乐舞自然也不会单纯，依舞时所用的工具分类，也就有好几种。

同上书："乐师，掌国学之政，以教国子小舞，凡舞，有帗舞，有羽舞，有皇舞，有旄舞，有干舞，有人舞。"

倘依郑司农的说法，所谓帗舞用全羽；羽舞用析羽；皇舞用羽帽覆头上，衣饰翡翠之羽；旄舞用牦牛之尾；干舞用兵器；人舞用两手。我们试闭目一想便呈现出五色缤纷的景象，委实好看！我想古代人决不仅为祭祀而歌舞，也是为表演和欣赏艺术美的快感而歌舞，才这样用心去考究舞具的色彩和组织。舞雩时用的是皇舞，郑玄谓："翌读为皇，书亦或为皇……皇，杂五采羽，如凤皇色，持以舞……四方以羽，宗庙以人，山川以干，旱暵以皇。"在何种祭祀中用何种舞，似乎毫无假借。

> 《地官司徒》第二："舞师，掌教兵舞，帅而舞山川之祭祀；教帗舞，帅而舞社稷之祭祀；教羽舞，帅而舞四方之祭祀；教皇舞，帅而舞旱暵之事。凡野舞，则皆教之；凡小祭祀，不兴舞。"

这样条理井然，大可注意，以什么样的乐来配合什么样的歌舞，又以什么样的乐歌乐舞用于什么样祀典，这显然是在文化已经发达到某种高度的社会里，才有这整然的艺术形态，要是说它是戏剧的幼芽不是太过分小看了它吗？我以为这个阶段恰等于西方希腊波斯战争以前，阿利翁（Arion，纪元前七世纪左右的诗人）于纪元前620年作合唱舞踊歌（Dithyrambos）用之于春祭的阶段；那时希腊人正过着初期奴隶制社会的生活。据说当时所用歌舞者五十人，也许都是有知识的奴隶，而中国方面的歌舞于祀典中的巫者的身份，恐也无二致吧？因《周礼》郑《注》"舞徒四十人"一语云："舞徒，给繇役能舞者以为之。"古代供徭役者大都是奴隶和罪囚,那末,我这臆测不能说百分之百的是瞎猜。然而,这却和一般认为周代系封建制的史家们的意见有点龃龉了,只好暂且存疑。

最后,进而看看古舞的情状。

《墨子·非乐篇》引逸书《汤之官刑》云:"其恒舞于宫,是谓巫风。"巫风盛行,尤其在俗好鬼神的楚地,在表现技术上一定有相当进步可观的。然而,可惜得很,我们只能由"今夫新乐,进俯退俯,奸声以滥,溺而不止,及优侏儒,犹杂子女"(《礼记·乐记》)这上头去想象当时的乐歌乐舞的美观动听,找不到很多描写巫风的文献,虽在《诗经》中可以找寻到一点,但也太抽象了。

> 《陈风·东门之枌》:"东门之枌,宛丘之栩,子仲之子,婆娑其下。穀旦于差,南方之原,不绩其麻,市也婆娑。"

以"婆娑"形容舞态固已很好,可是多抽象!《说文》引"市也婆娑"作"罂娑";《尔雅·释训》:"婆娑,舞也。"《神女赋注》:"婆娑,犹媻姗也。"《尔雅》郝《疏》:"罂娑盘旋。"这样说,那就是盘旋而舞蹈。怎样盘旋？那得由我们自己去想象了。再看看《楚辞》吧。

《九歌·礼魂》："姱女倡兮容与。"

容与跟盘旋差不多，就是"进俯退俯"，动作的描写，只此而已。告诉我们较多些，是使我们知道舞者穿得够漂亮。

《九歌·东皇太一》同篇："灵偃蹇兮姣服，芳菲菲兮满堂。"

在婆娑和容与之外，又多了一个偃蹇的舞态形容，同时也告诉我们以舞者手中所持的东西。

《九歌·礼魂》："成礼兮会鼓，传芭兮代舞。"

舞者的手中拿着芭，更番传递着舞蹈，王逸说它是一种香草；但有人说是牛尾，系犛字同音假借，似较王说为合理。此外又告诉我们以节舞的音乐。

《九歌·东君》："缅瑟兮交鼓，箫钟兮瑶簴，鸣篪兮吹竽,思灵保兮贤姱,翾飞兮翠曾,展诗兮会舞,应律兮合节。"

这样的乐歌乐舞,不只可以娱神,自然也可以娱人。所以同篇说:"羌色声兮娱人,观者憺兮忘归。"这说法一点也不夸张。①大致,古代的巫舞就是这样,古代人用言其志又咏其声的诗歌,用动其容的舞蹈,伴上了钟鼓管磬弦匏笙簧之类乐器,身穿着华丽美观的衣服,手拿着五彩缤纷的牛尾鸟羽毛,从事他们的艺术活动,而他们所表演的艺术形态,也便是综合艺术——戏剧的雏形。

---

① 作者于1958年后在本书初版版本上的此处添加了如下文字:最可喜的是"翾飞兮翠曾"一句对舞姿的形容,形象生动,所谓"巫舞工巧,身体翩然若飞,似翠鸟之举",补注:"翾,小飞也。""曾"便是"翾",也是飞的意思。这就使我不期而然地联想到宋·张子野的两句词:"只恐惊飞,拟倩游丝惹住伊。"这巫的体态轻盈,舞态蹁跹,也好像是会飞走似的,确实令人神往!我们的先民的智慧才真是了不起,由于他们的劳动创造,积累这些艺术文化的财富,到了春秋战国时期才有这样的成就。

第三章　百戏（汉魏六朝时期）

私有财产制度更发达，握经济支配权的阶层在满足生活之外需要娱乐，因之娱神的巫变为娱人的优，巫舞转化到倡优的舞，更进而形成了戏剧，完全根据经济制度的变迁而演化下去，彼此息息相关，我们不能把它孤立起来观察。古代优人原是以"嬉笑谐谑"娱乐支配阶层的弄臣，正是史游《急就章》所说的"倡优俳笑"，《说文》所释的"俳，戏也"，《正韵》所释的"优，调戏也"。因其职业性质，可以这样称呼。同时这职业的性质，中外一律，和欧洲的Fou绝对相似。关于优和Fou，已有近人冯沅君考证得很详细正确，于兹不赘。至于倡优，倡通唱，想是能歌的优，演唱合而为一，适相当于中国旧演员的性质，俳优和倡优的称呼不可谓不当。

说到"优"，还是先说"伶"，因为世上都呼为"优伶"，称"老演员"为"老伶工"，这里似有说一说的必要。

照理,优和伶不应连称,更不应将演员称伶工,伶工的起源当出于黄帝时的伶伦,这只是乐工乐官,甚至是制造乐器乐律的人罢了。

宋罗泌《路史》说:"伶伦造律,采解谿之篁,断篁间三寸九分为黄钟之宫,曰:含少制十有二筒,以之阮隃之下,听凤之鸣,以定其雌,乃作玉律以应候气,荐之宗庙。"(《汉志》《吕氏春秋》《风俗通》亦载此。)

汉史游《急就章》中有"泠幼功"(从水亦从人)一语,颜师古《注》云:"泠人,掌乐之官也,因为姓焉,黄帝时有泠伦(王应麟《补注》云:《汉·律历志》作纶),周有泠州鸠,秦有泠至,汉有泠褒、泠丰。(补注:《诗·简兮笺》:泠官,乐官也,泠氏世掌乐官而善焉,故后世多号乐官为泠官,《战国策·韩》有泠向,《吕氏春秋·周》有泠悝,《郑志》有泠刚,汉《功臣表》有泠耳、泠广。)"且《晋书·戴逵传》亦云:"逵对使者破琴曰:'戴安道不为王门伶人。'"伶虽然可训为"弄",和倡优一样是"弄臣",但究竟伶是司乐的。优而兼通音乐者固不少,究竟优是优,伶是伶。称演员为俳优或倡优,就比称伶工合适得多,而过去也都

是如是称呼的:

  《家语》:"齐奏宫中之乐,俳优侏儒戏于前。"
  《旧唐书》:"俳优小人,言辞无度,非所以导仁义示和睦也。"

同时俳优也是杂戏的名称,并且是乐府的一种体裁。

  《汉书·霍光传》:"'击鼓歌吹作俳倡',《注》谓:'俳优,谐戏也。'"
  《太和正音谱》:"'俳优体,诡喻淫虐,即淫词。'"

  封建制度是建立在奴隶制度的废墟上的,在奴隶制度的社会里,巫以奴隶担任为主,在初期的封建社会里,不只不得解放的奴隶做巫,另有一些没落的小市民也走进巫的行列了。而这时巫的性质也早已由娱神变为娱人,由媚"自然"变为媚"支配阶层",同时也已开始由"巫觋"变为"倡优"了。
  及汉兴,支配阶层的势力日趋稳定,这个时候,自帝王贵族以及其他有力量的人更需要娱乐,干倡优职业的人便应这需要而盛。但所谓优人有确实证据其为早出的,大致为两个优施和优孟、优旃四人。

《国语·晋语》:"公之优曰施,通于骊姬。"

这位优施参与内政,助骊姬杀太子申生,并逐群公子出国,即是王国维所说"古代之优本以乐为职,优施假歌舞以说里克"的优施。另外却又有一个优施,那不是晋国,而是齐国的。

《穀梁传》:"(定)公会齐侯于颊谷……罢会,齐人使优施舞于鲁君之幕下,孔子曰:'笑君者罪当死!'使司马行法焉,首足异门而出。"

以笑谑为职的优施,在孔老夫子面前当然遭殃,纵然真的怀有嗤笑鲁君的意图,不及见诸事实,便首足异处了。这确是件憾事,要不然,任他耍戏一番,也许能遗留给我们一些可贵的戏剧史料,也未可知。既如是,那我们只得向别一处去找材料。

《史记》:"优孟,故楚之乐人也。长八尺,多辩,常以谈笑讽谏。"

《史记》:"优旃者,秦倡侏儒也。善为笑言,然合于大道。"

但《史记》仅记及优孟谏礼葬死马及为孙叔敖衣冠事、优旃谏置苑囿及漆城事,并无提及他们的技艺。东方朔、淳于髡、东郭先生虽也被并记,都只及谐谑调笑、谲诡讽谏罢了。在这些上面,我们都只能见到弄臣的姿态之一鳞一爪,不能知道演剧的艺术,实属遗憾!如果他们仅有此种才能,其他不及他们的侏儒们,便更不足道。那末《郑语》"侏儒、戚施、实御在侧,近顽童也",《齐语》"优笑在前,贤材在后,是以国家不日引,不月长"的话便很有理由了。好像当时的俳优又以侏儒为多,想是因矮而丑更显得滑稽,更具备为弄臣的资格。

《汉书》:"臣朔生亦言,死亦言,朱儒长三尺余,奉一囊粟,钱二百四十;臣朔长九尺余,亦奉一囊粟,钱二百四十。朱儒饱欲死,臣朔饥欲死,臣言可用,幸异其礼;不可用,罢之,无令但索米长安。上大笑,因使待诏金马门,稍得亲近。"

东方朔原是"好古传书,爱经术,多所博观外家之语",自较侏儒高一等,但武帝同以倡优蓄之,他便以他们的矮和自己的长来比较,这固近乎滑稽,实则东方朔因自己的才能不甘和他们同列。我们由此也足见侏儒的不学无术。古来演戏者的地位特别低,这也是一原因。但古优有一点好处不可轻视,那便是讽刺,有时颇能裨益时政,功用超乎执政的衮衮诸公之上。

到他们为止,所干的工作大概只有歌、舞、调笑,至多是托讽匡正,没有其他惊人的技艺;纵使有,也只是扮演许多禽兽虫鱼的怪样子,供支配阶层娱乐。

《汉书·礼乐志》:"郊祭乐人员……朝贺置酒陈前殿房中……常从倡三十人,常从象人四人,诏随常从倡十六人,秦倡员二十九人,秦倡象人员三人,诏随秦倡一人。"

"常从象人四人"句《注》:"孟康曰:若今戏鱼虾狮子也。"韦昭曰:"着假面也。"师古曰:"孟说是也。"那末,不管扮装为鱼虾狮子或着假面,总之是装怪模样,自拟非人,以媚有权势的人罢了。即便所谓"凤凰来仪"啦,"百兽率舞"啦,都是这一类,说穿了,就不足奇了。但在演剧艺术上说是多一层进化，开启了走向扮演故事的道路，倒是未可厚非的。到了武帝元封三年，西域人跟汉使来中国，那边的奇戏怪物便传过来，虽说离真正的演剧艺术还很远，却是有耍武术及变魔术等的技艺了。

《史记·大宛传》："初汉使至安息……汉使还，而后发使随汉使来……及黎轩善眩人献于汉……是时上方数巡狩海上，乃悉从外国客……于是大觳抵，出奇戏诸怪物，多聚观者，行赏赐……及加其眩者之工，而觳抵奇戏岁增变，甚盛，益兴，自此始。"

应劭谓："角者角材也，抵者相抵触也。"这是摔跤、角逐技艺之类；《索隐》谓韦昭云："眩人，变化惑人也。"《魏略》云："黎靳多奇幻，口中吹火，自缚自解；小颜亦以为植瓜等也。"这是变魔术，张衡《西京赋》中对这奇戏的情形有很好的描写（略而不录），其中提及东海黄公，赤刀粤祝，冀厌白虎，卒不能救的事，《西京杂记》却也有以下的记载：

《西京杂记》卷三："余所知有鞠道龙，善为幻术，向余说古时事,有东海人黄公,少时为术能制蛇御虎,佩赤金刀,以绛缯束发,立兴云雾,坐成山河;及衰老,气力羸惫,饮酒过度,不能复行其术。秦末,有白虎见于东海,黄公乃以赤刀往厌之,术既不行,遂为虎所杀,三辅人俗用以为戏,汉帝亦取以为角抵之戏焉。又说淮南王好方士,方士皆以术见,遂有画地成江河,撮土为山岩,嘘吸为寒暑,喷嗽为雨雾,王亦卒与诸方士俱去。"

是则除角技艺及变魔术之外,已有扮演黄公厌虎的故事,所以俞曲园认角抵为戏剧之始。这角抵戏一直玩到元帝初元五年始罢,据说是另有原因,在我们却猜想是支配阶层看腻了,当然这套把戏只能有一时的刺激,不能永久合士大夫的脾胃的。然而只有这样的解释,似觉不够彻底充分。那末进一步说,角抵原是古代模仿战斗的模拟舞(War Dances)的延长,角抵之盛于武帝时,衰于元帝时,是有一种重大的军事政治上的原因的。武帝时边功甚盛,可以比拟之于罗马的凯撒到奥古斯都帝(Augustus)这中间的时代(纪元前60年到纪元后14年,西汉武帝始建年号是纪元前140年)。像人与人斗及人与兽斗之风,在纪元前三世纪的罗马就盛,到纪元后更盛,世界闻名的圆形剧场(Amphitheathe)——罗马市的科罗萨姆大戏场（The Huge Colosseum）——造了十多年方完成（纪元前82年），就是专给人兽角斗用的。其他还有可容二十八万五千人的马戏场（Circue），专给马匹、战车、竞赛及演诸奇戏用的。在好战斗的时代，帝王贵族及士大夫阶层所要的娱乐，当然也是和战斗有关的。传入中国恰在汉武好战斗的时代，不用说也该盛极一时。同时我们可以确证这是罗马经西域传来的，别的证据因手头一时无典籍可参考，勉强只能有这么两条：

《后汉书·西南夷列传》："永宁元年，掸国王雍由调复遣使者诣阙朝贺，献乐及幻，能变化吐火，自支解，易牛马头；又善跳丸，数乃至千。自言我海西人，海西即大秦（罗马）也，掸国西南通大秦。"

同书《西域传注》引鱼豢《魏略》云："大秦国俗多奇幻，口中出火，自缚自解，跳十二丸，巧妙非常。"

并且汉初天人感应之说盛，皇帝好炼丹术及求仙乐。那末和神仙方术有关的魔术（幻戏）如何在这时代能不为他及他人所好？当然，好神仙不自汉武始，秦始皇就是开先例的帝王，不过汉武在这一点上似超过了秦王嬴政。司马迁也说："孝武皇帝初即位，尤敬鬼神之祀。"所以那位齐人少翁便为他所最信仰,说了些鬼话,他都信以为真,弄得一心只想长生不老,因之而从事炼丹(炼金)。

《史记·孝武本纪》:"祠灶则致物,致物而丹沙可化为黄金,黄金成,以为饮食器则益寿,益寿而海中蓬莱仙者可见,见之以封禅则不死,黄帝是也。……于是天子始亲祠灶,而遣方士入海,求蓬莱安期生之属,而事化丹沙诸药齐为黄金矣。"

只要读了《孝武本纪》,就了解这位帝王比任何人都来得迷信。这便是"角抵""奇戏"能盛于汉武帝时的真正原因。

至于它的衰落,我们知道武帝以雄才武略,君临一代,时刻经营大事业,因此酿成财政上的大困难,终于用卖官政策,冀救一时之急。昭帝、宣帝借节约清理武帝的后事。及元帝立,他又多病,尚武好斗的时期过去,这个局面完全改变得不同了,角抵也跟着衰落,是极必然的事。关于这,我虽然还没有找到历史的记载,却可以拿唐代的情形来比照。唐朝的武功为历代之冠,隋末群雄割据者凡有百数十人,高祖太宗以关中为根据地而连年征伐,终告统一,武德贞观之间"东至于海,南至于岭,皆外户不闭,行旅不赍粮焉"(《旧唐书·太宗纪》)。这一个天下安宁、民生安乐的时期，也正是"角抵""奇戏"大盛的时期。可是到了高宗就不同了，他是和汉元帝一样，体格不好，《新唐书》说他"……多苦风疾，百司奏事，时时令后决之……而高宗春秋高，苦疾……"，所以他很厌恶"角抵""奇戏"太骇人耳目，下令西域关津严查，不许放入中国。等到那位最好游乐的玄宗皇帝一出，"角抵""奇戏"方又在宫廷里复兴。同样地，文宗又和高宗差不多，也恶其太险，仍罢奇戏。这不是绝好的证明吗？

可是后来戏剧中固保存或多或少的角抵成分，但已不为戏剧所重，然这玩意儿很大众化，接近人民大众，仍不能绝迹，迄今还有江湖卖艺者干这勾当，把它单独保留下去。角抵（按：即角觝）对后世戏剧的功劳，便是扮故事的部分，到南北朝便扬弃了其他，而就扮故事部分加以演变进化，越趋近剧艺了。我们在各种文献上可以找到三种扮演故事的戏剧雏形，即一为"代面"，二为"拨头"，三为"踏摇娘"。

《旧唐书·音乐志》："大面出于北齐，兰陵王长恭，才武而面美，常着假面以对敌，尝击周师金墉城下，勇冠三军，齐人壮之，为此舞以效其指麾击刺之容……拨头出西域，胡人为猛虎所噬，其子求兽杀之，为此舞以象之也。

踏摇娘出于隋末。隋末河内有人貌恶而嗜酒,常自号郎中,醉归必殴其妻,其妻美色善歌,为怨苦之辞,河朔演其曲而被之弦管,因写其妻之容,妻悲诉每摇顿其身,故号踏摇娘。"

相传代面(即大面)为假面之始,此说殊不可信,实则古已有之。我们知道1936年国立中央研究院在安阳殷墟发掘古物,即掘到了一些铜面具、铜兜鍪。再不然,我们也该说始自上面提到过的周官方相氏。关于兰陵王的记载还有:

《隋唐佳话》:"高齐兰陵王长恭,白类美妇人,乃着假面以对敌。"
《秕言》:"北齐兰陵王长恭,每战必戴面具,舞队之有代面,始此。"

这舞曲就是所谓《兰陵王入阵曲》,假面(Masque)在西洋是起于希腊罗马酒神狄奥尼索斯祭,利用酒滓涂面,后戏剧中的人物发展到定型,同时剧场渐趋扩大,要使远处的观众看得到演员的脸相,故转为用面具。据说戴面具还有扩大声音的作用,到中世纪也流行过这假面喜剧。在中国用面具,想当汉魏六朝以迄隋唐时很普遍，不止兰陵王用它，《隋书·音乐志》说：

> 礼毕者，本出自晋太尉庾亮家。亮卒，其伎追思亮，因假为其面，执翳以舞象其容，取其谥以号之，谓之为《文康乐》。

和兰陵王一样用以对敌的，则有狄青。

> 《宋史·狄青传》："尝战安远……临敌被发，带铜面具出入贼中。"

据这些记载，面具被采用，为数尚不多，令人叹为观止的，允推这一条记载：

> 《旧唐书·音乐志》："安乐者，周武帝平齐所作也。舞者八十人，刻木为面，狗喙兽耳，以金饰之，垂线为发，画猰皮帽，舞蹈姿制犹作羌胡状。"

其他有如方相驱厉般的由小儿戴着驱傩的记载：

《乐府杂录》:"(驱傩)五百小儿为之,衣朱褶青襦,戴面具,以晦日于紫宸殿前傩。"

这玩意儿在现代还遗留,北平雍和宫,战前常举行的"喇嘛打鬼"便是。在现在的戏班子里也还有加官面、神仙面、女鬼面等各数具。常见者惟土地面及如《红梅阁》《阴阳河》等剧中所用的女鬼面。

到拨头(钵头),扮演故事较代面进步,有合理的化装、服装,脸部有一定的表情。据《乐府杂录》所载:

昔有人父为虎所伤,遂上山寻其父尸,山有八折,故曲八叠,戏者被发素衣,面作啼,盖遭丧之状也。

这拨头名称有疑系译音,所以亦另称钵头。

《旧唐书·音乐志》:"拨头出西域。胡人为猛兽所噬,其子求兽杀之,为此舞以象之也。"

《乐府杂录》谓之钵头,此语之为外国语之译音,固不待言,且于国名、地名、人名三者中必居其一焉。其入中国,不审何时？

又因之想到《北史·西域传》上有拔豆国，断定此舞就出于拔豆国。而演故事的动作、表情、化装、服装，到踏摇娘可说更见进步。倘觉上面所引《音乐志》所云还不够详，那末可看：

> 《教坊记》："北齐有人姓苏鲍鼻，实不仕，而自号为郎中，嗜饮酗酒，每醉辄殴其妻，妻衔悲诉于邻里，时人弄之。丈夫着妇人衣，徐步入场行歌，每一叠，旁人齐声和之云：'踏谣和来，踏谣娘苦和来！'以其且步且歌，故谓之踏谣，以称其冤，故言苦。及其夫至，则作殴斗之状，以为笑乐，今则妇人为之，遂不呼郎中。"
>
> 《乐府杂录》："苏中郎，后周士人苏葩，嗜酒落魄，自号中郎，每有歌场，辄入独舞，今为戏者着绯，戴帽，面正赤，盖状其醉也。"

这两节所记稍有出入，一云北齐人，一云后周人，而《音乐志》则云隋人；这出身倒不关重要，相异而重要者，是《教坊记》所说的戏剧形式较备，《乐府杂录》仅说一人独舞。除此外，这两节中有两点值得研究演剧艺术的我们注意：（一）

男演员饰女角及女演员饰男角兼女角；（二）由假面到脸谱的演进。

"丈夫着妇人衣，徐步入场行歌"是男扮女角，这在汉魏时即已有之，如《魏书》裴松之《注》载司马景王（师）《废帝奏》内有云，使小优郭怀、袁信于广望楼下作辽东妖妇，嬉亵过度，道路行人掩目。（焦循《剧说》引《乐府杂录》云："咸通以来，有范传康、上官唐卿、吕敬迁等三人，弄假妇人，案此优人作旦之始。"当非。）至于"今则妇人为之，遂不呼郎中"当然是女角扮踏摇娘，也许再由女角扮其夫，这许是真正的"坤角"之始。（《楚辞》的"姱女倡兮容与"之女倡，《汉书·外戚传》的"孝武李夫人本以倡进"，固是坤角之祖宗，但当时演剧艺术未甚发达，当时的巫或倡未可认为真正的女优。）

"面正赤，盖状其醉也"，当时所戴假面，也可说是正式的化装——脸谱之始。王国维也认为此系涂面，如果没有错，由固定的假面到脸谱不能不认为是一段飞跃的进步，更后才有"揉""抹""勾"三种绘脸谱的方法，各以其色彩及形式象征各种类型的人物，辅助观众们理解人物和剧情。不惜辞费，在此顺便把脸谱叙一下。

我们从原始人的文身和服兽皮学到扮饰，从原始人的应用兽头学到头饰和面具，再进而到化装，中国戏剧的结构和演技都到了程式化、象征化，化装也趋于程式化、象征化，象征和神秘密接，所以间或含神秘的意义，脸谱有一定的道理和一定的绘法，俳优历代相传习，不敢妄加增改。前面所提的三法，惟关公云长脸原用揉法，后来已改用抹法，所以现今三法只留二法，用抹法者十九系文士，用勾法者十九系武人。在色彩方面，以赤示忠勇，凡赤胆忠心，赋性耿直者得施红色，如关公、颍考叔和孟良三脸；年老气衰血色转淡，带参白髯，画老眉子者用老红或粉红色，如黄盖、严颜、花振芳等；紫色象征忠介静穆之士，如常遇春、庞统等；黑色表示戆直粗暴，忠勇真挚，如包拯、张飞、牛皋等；蓝色表示桀骜难驯，勇猛异常，以武将及盗魁为多，如马武、单雄信、窦尔墩等；绿色如草木之色，以之像草寇，程咬金、盖苏文等用之；蟹青或灰青，亚于绿色，则用于判官郑伦等神怪；金用于神怪仙佛如金吒、如来佛等，然金兀术、金蝉子也勾金脸或稍着金；次于金的银色则用于木吒、财神等；年老色衰的英雄，如李克用、焦振远用灰赭色，象其年龄虽老，精神犹旺；虽猛烈而有心计，蕴内而不露于外者如宇文成都、方腊等用黄色；刚愎自用、凝练阴森者，用绢白色。从形式上说，分"整"为不歪不破，全面一色者；"碎"为脸纹极琐碎，杂色甚多者；"三块瓦"为眉眼加宽,全脸界两腮为三者;又有添花纹者为"花三块瓦",更破碎而纹加多者为"碎三块瓦"之称。花,为脱胎于"花三块瓦";老,为眉梢眼角下垂,示老衰者。"元宝",为两眉之上形似元宝,示其人虽粗暴,而尚不至十分凶恶者。"歪"及"破"用于刁恶之徒,嘴歪眼斜示心不正。其他还有"大白""腰子""豆腐""蝴蝶""钢叉""精灵""妖怪""太监"等很多,在此不赘。其中只有"钢叉脸"为无双谱,仅项羽用之,以钢叉示其孔武有力。

歌舞到了六朝显然有了大进步,戏剧的情节也渐渐转到现实社会的方面来了,再加上西域的七声乐在北周时输入,便开启了后代的音乐兴隆局面。

紧跟汉魏南北朝之后的是隋朝,由南北朝的军事政治上的纷乱局面而渐趋统一。于是,那不像一般人所说的只为着娱乐,而在军事政治,尤其在经济上有重大意义的贯通南北的交通大动脉——运河,是在这一代开成;即那与语言声韵的统一,尤其和乐曲有关的——《广韵》,也在这一代开始完成。在戏乐方面,自然不会比前朝落后,尤其是在那一位好享乐的炀帝手里。譬如说汉时已盛行的"角抵""奇戏"代代相因,已并有增加。据《文献通考》所载:

梁又设跳铃剑、掷倒、猕猴幢、青紫鹿、缘高絙、变黄龙、弄龟等伎，陈氏因之。后魏道武帝天兴六年冬，诏太乐总章鼓吹，增修杂戏，造五兵角抵、麒麟、凤凰、仙人、长蛇、白象、白武及诸畏兽鱼龙辟邪……以备百戏，大飨设之于殿前，明元帝初又增修之，撰合大曲，更为钟鼓之节……北齐神武平中山，有鱼龙烂漫、俳优侏儒、山车巨象、拔井种瓜、杀马剥驴等奇怪异端，百有余物，名为百戏。

直到隋文帝始将这类奇戏放遣，不复举行，从此散在四方，依然成为民众的娱乐。可是到了炀帝时，不只重修前朝故事，而且还奖励倡优杂技。据《隋书·音乐下》云：

（隋炀帝）大业二年，突厥染干来朝，炀帝欲夸之，总追四方散乐，大集东都。……每岁正月，万国来朝，留至十五日，于端门外建国门内，绵亘八里，别为戏场，百官起棚夹路，从昏达旦以纵观之，至晦而罢。伎人皆衣锦绣缯彩，其歌舞者多为妇人服，鸣环佩饰以花毦者，殆三万人。

故柳彧上书曰："鸣鼓聒天，燎炬照地，人戴兽面，男为女服,倡优杂技,诡状异形。"

这是够壮观的了,恐怕汉武帝时尚无此宏大的规模。至于乐曲方面,在文帝开皇初年,已置七部乐,炀帝大业中立清乐为九部;隋亡,清乐散缺,尚存六十有三曲,所以王灼的《碧鸡漫志》说:"隋氏取汉以来乐器歌章古调,并入清乐,余波至李唐始绝。"

除这些外,不用人演而用人形或人影演的戏也萌了幼芽,那就是傀儡戏和灯影戏。关于前者,一般都说源出《列子》:

> 周穆王西巡狩……有献工人名偃师……王荐之曰:"若与偕来者何人邪?"对曰:"臣之所造能倡者。"穆王惊视之,趣步俯仰,信人也。巧夫!镎其颐则歌合律,捧其手则舞应节,千变万化,惟意所适。王以为实人也,与盛姬内御并观之。技将终,倡者瞬其目而招王之左右侍妾,王大怒,立欲诛偃师;偃师大慑,立剖散倡者以示王,皆傅会革木胶漆白黑丹青之所为。王谛料之,内则肝胆心肺脾肾肠胃,外则筋骨支节皮毛齿发,皆假物也,而无不毕具者。合会复如初见。王试废其心,则口不能言;废其肝,则目不能视;废其肾,则足不能步。

我已有专文《说"傀儡"》详论其非，我以为源于古代的殉葬习俗，至于《列子》所说则抄袭自《梵典》。傀儡用于耍戏，一般都说源于汉高的平城被围，而我也不以为可靠，在此不妨也简略地说一下：

《乐府杂录》："自昔传云：'起于汉祖，在平城，为冒顿所围，其城一面即冒顿妻阏氏，兵强于三面，垒中绝食，陈平访知阏氏妒忌，即造木偶人，运机关舞于陴间。阏氏望见，谓是生人，虑下其城，冒顿必纳妓女，遂退军。史家但云陈平以秘计免，盖鄙其策下耳。'后乐家翻为戏。"

但不知何所据而云然？我们观司马迁《史记》及班固《前汉书》的《帝纪》《韩王信传》《匈奴传》中都不见如此的记载，所谓"史家但云陈平以秘计免，盖鄙其策下耳"，正是掩饰事实的话，这里仅看看《匈奴传》所云就得。

……高帝先至平城，步兵未尽到，冒顿纵精兵三十余万骑，围高帝于白登。七日……高帝乃使使间厚遗阏氏，阏氏乃谓冒顿曰："两主不相困，今得汉地，单于终非能居之，且汉主有神。单于察之。"冒顿与韩信将王黄、赵利期，而兵久不来，疑其与汉有谋，亦取阏氏之言，乃开围之一角。

由此看来，我以为《乐府杂录》之说显然是捕风捉影的附会，但这附会的起因，或是由陈平奇计，且其计秘而不宣所致。如果这猜想没有错，那末，我可以说这"使使间厚遗阏氏"，便是不肯宣的秘计，并没有稀奇，因为贿赂不敢公开宣布，就只好秘起来。

倘说傀儡戏在汉代已萌芽，我倒不想否认，因为至少在六朝已流行，最初不过是一种丧家之乐，宋庄季裕在他的《鸡肋篇》中曾说：

> 窟礧子，亦云魁礧子，作偶人以嬉戏歌舞，本丧家乐也；汉末始用之于嘉会，齐后主高纬尤所好，高丽亦有之……今字作傀儡子。

和此同样详细的，还有焦循《剧说》所引：

> 《笔麈》云：杜佑曰："窟儡子，亦曰傀磊子，本丧雅也，汉末始用之于嘉会，北齐高纬尤好之。"今俗悬丝

而戏，谓之偶人，亦傀儡之属也。又有以手持其末，出之帏帐之上，则正谓之窟儡子矣。

而这种戏变为一般娱乐开始盛行，当在隋唐之际。尤其唐代，这里有诗为证：

《唐诗纪事》："刻木牵丝作老翁，鸡皮鹤发与真同。须臾弄罢寂无事，还似人生一梦中。"

由这刻人形而耍戏衍变下去，又派生出以灯光照出影子的耍戏，于是有灯影戏，在这里也可略及之。记得远在抗日战争初期，我读过一本什么外国人作的书，现忘其名，他在那上面曾大捧天津的影子戏，似乎疑它即西方电影之祖宗。民国二十七年秋天政治部第三厅分一半人驻湖南衡山时，我和田老三就把乡间唱花鼓戏及影子戏的班子弄来研究，原想利用以宣传抗日战争，但不久我离湘入川，便中止了。后在川北国立东北大学教书，又常看影子戏的演出。

一向谈中国戏剧史的人，都以为灯影戏的起源，在于汉武帝的一件风流韵事，我不曾有其他材料来否定这说法，就姑且也这样相信。

《前汉书·李夫人传》："上思念李夫人不已，方士齐人少翁言能致其神，乃夜张灯烛，设帷帐，陈酒肉，而令上居他帐，遥望见好女，如李夫人之貌，还幄坐而步，又不得就视，上愈益相思，悲感。"

《外戚列传》《桓谭新论》《北堂书钞》《太平御览》中均有类此记载，我们除了相信李少翁玩催眠术之外，实难相信真有其事，至少，在帷帐内有一个实物，才能映出影来，但史书并无及此，一般剧史家也不深究，至今未明；不过我疑心帐后有实物，我这想头，结果也不完全落空，晋王嘉的《拾遗记》说：

初，帝深嬖李夫人，死后常思梦之，或欲见夫人，帝貌憔悴，嫔御不宁，诏李少君，与之语曰："朕思李夫人，其可得乎？"少君曰："可遥见，不可同帷幄……暗海有潜英之石，其色青，轻如毛羽，寒盛则石温，暑盛则石冷，刻之为人像，神悟不异真人，使此石像往，则夫人至矣。此石人能传译人言语，有声无气，故知神异也。"帝曰："此石像可得否？"少君曰："愿得楼船百艘，巨力千人，能浮水登木者，皆使明于道术，赍不死之药。"乃至暗海，经十年而还。昔之去人，或升云不归，或托形假死，获反者四五人。得此石，即命工人依先图刻作夫人形，刻成，置于轻纱幕里，宛若生时。帝大悦！问少君曰："可得近乎？"少君曰："譬如中宵忽梦，而昼可得近观乎？此石毒，宜远望不可逼也，勿轻万乘之尊，惑此精魅之物！"帝乃从其谏。见夫人毕，少君乃使舂此石人为丸，服之，不复思梦，乃筑灵梦台，岁时祀之。

这一节记载与《汉书》固不同，且《拾遗记》也固不可靠，但两者如合为一则，我以为近情近理。把刻作李夫人状的石像置帷帐中，利用灯烛光照映出来，这就是汉代李少君创作的影子戏，到后代不用笨重的石，改用轻便的纸或皮，而耍影子戏，当以宋元两代为最盛。

第四章　杂剧（唐宋时期）

李唐承前朝的歌舞，制作了许多新曲，戏剧中的乐歌部分到这一代愈臻完备，因为唐高祖武德初因隋朝旧制用九部乐，后又在禁中设置教坊，专掌教育音乐及典倡优，太宗造燕乐十部，声辞趋于繁杂，其著录十四调，二百二十二曲。玄宗开元二年，这位好音乐的皇上，又置教坊于蓬莱宫侧，京都设左右两教坊，分乐为坐立二部，立部伎八，坐部伎六，教坊之制一直到清代雍正间才废。此外，玄宗又设梨园教授优人和伶人以小部歌乐十一曲，雩韵乐二十曲。

玄宗不只好音乐而予以提倡，并且自己便是一位音乐家，宋王谠之《唐语林》说：

> 玄宗洞晓音律、丝管，皆造其妙，制作诸曲，随意即成，如不加意；尤爱羯鼓、横笛，云八音之领袖，诸乐不可为比。

所以他非那些只因自己爱娱乐而奖励歌舞的帝王可比。不只玄宗，即宣宗亦如是，他自己能制乐曲，而且能制歌舞。同书又载：

> 旧制三二岁，必于春时内殿赐宴宰辅及百官；备太常诸乐，设鱼龙曼衍之戏，连三日抵暮方罢。宣宗妙于音律，每赐宴前，必制新曲，俾宫婢习之，至日，出数百人，衣以珠翠缇绣，分行列队，联袂而歌，其声清怨，殆不类人间。其曲有曰《播皇猷》者，率高冠，方履，褒衣，博带，趋赴俯仰，皆合规矩；有曰《葱岭西》者，士女踏歌为队，其词大率言葱岭之士乐河湟故地，归国而复为唐民也；有《霓裳曲》者，率皆执幡节，被羽服，飘然有翔云飞鹤之势。如是者数十曲，教坊曲工，遂写其曲奏于外，往往传于人间。

观此，可知唐代的乐曲歌舞之盛，已超过了前此任何一朝。此外，即汉魏六朝迄隋已盛行的百戏，在有唐一代也颇有演出，尤其是百戏中的绳戏，比过去更有可观，远在汉代称为"走索"，梁三朝称为"高絙"或"戏绳"，唐时谓之"绳技"，后代叫"踏索"或"走绳"。这里照例抄《唐语林》的一则为证：

明皇开元二十四年八月五日，御楼设绳技，技者先引长绳，两端属地，埋鹿卢以系之，鹿卢内数丈立柱以起绳之直如弦，然后技女自绳端摄足而上，往来倏忽，望若飞仙……还往曾无蹉跌，皆应严鼓之节，真可观也。……自兵寇覆荡，伶官分散，外方始有此技，军州宴会，时或为之。

这些杂耍，虽非正式的戏剧，但是戏剧的原始资料，后世戏剧中仍包含着百戏的各种因素，所以不能不附带地提及。如说唐代对于戏剧的各种措施，其中自然以置教坊梨园为最重要。唐初，凡雅俗诸乐，都隶属于掌宗庙仪礼的太常，到了开元二年，玄宗以太常为礼乐司，是比较严肃些的官署，不应典倡优，因之更置左右两教坊于蓬莱宫侧，而两者各有所专长。

唐崔令钦《教坊记》："西京右教坊在光宅坊，左教坊在延政坊，右多善歌，左多工舞，盖相因习。"

由这番话推测当时的教坊情形，当是一边专教歌，一边专教舞，教坊中大致以初学的所谓"挡弹家"居多，似乎梨园就有点综合教授的性质。教坊梨园固然为一是二、二是一的同一东西，但或许有初级高级之分。如这猜测没有错，我以为教坊是初级的，教授一般宫人以普通的歌舞技能；而梨园是高级的，集中一些已有专长或一些素质特佳的宫人，并且由玄宗亲自教授，教坊女乐升了等，方被称为梨园子弟吧？观《新唐书·礼乐志》所载，似乎含有此种意味，该书云：

> 玄宗既知音律，又酷爱法曲，选坐部伎子弟三百教于梨园，声有误者，帝必觉而正之，号皇帝梨园弟子，宫女数百，亦为梨园弟子，居宜春北院。

《教坊记》云："开元十一年，初制《圣寿乐》，令诸女衣五方色衣以歌舞之，宜春院女教一日，便堪上场，惟挡弹家弥月不成，至戏日，上令宜春院人为首尾，挡弹家在行间，令学其举手也。"

由这里而窥见"挡弹家"和"梨园子弟"有工拙之别，我以为也就是"教坊"和"梨园"的等级之分。

关于这问题，我的猜想和王国维先生有点不同，王氏《古剧脚色考·余说》四中说：

> 开元以后，声乐益盛，《旧书志》云："玄宗于听政之暇，教太常乐工子弟三百人为丝竹之戏……号为皇帝弟子，又

云梨园子弟……太常又有别教院……廪食常千人,宫中居宜春院。夫梨园弟子既云乐工子弟,当系男子,而宜春院则尽妇人。"

男子和妇人分居一点,我无异议;我只认为梨园子弟是总称,不分男女,但和教坊之挡弹家分技艺,技艺高的大概都被称为梨园子弟或皇帝弟子。正如王氏所说:

然则梨园宜春院人悉系家人姻戚,合作歌舞亦意中事,故元稹《连昌宫辞》咏念奴歌曰:"飞上九天歌一声,二十五郎吹管逐。"

这和现代红歌女站在舞场的乐台之上唱歌,一群Band在她后面兴高采烈地奏乐相似。念奴是唐代的红歌女,已有定论,此种人谁敢说不配当梨园子弟或皇帝老子的爱徒呢?

当时所歌舞的乐曲甚多,固不能确如白居易所夸张的"千歌万舞不可数"那样多得难以置信,《唐六典》及《文献通考》便记载了五十有余曲,多是无可疑的!因之,每次呈演,必先进曲名备点,自然为了过多,不能一一毕演,就想出这点唱的办法了。《教坊记》说:

凡欲出戏，所司先进曲名，上以墨点者即舞，不点者即否，谓之进点。戏日内伎出舞，教坊人惟得舞《伊州》、《五天重来叠》，不离此两曲，余尽让内人也。（同书云："妓女入宜春院，谓之'内人'，亦曰'前头人'，常在前也。"）

且当时的歌舞规模亦甚大，多者有用九百人，少者亦用百四十人。《旧唐书·音乐志》曾云："长寿二年正月，则天亲享万象神宫。先是，上自制《神宫大乐》，舞用九百人，至是舞于神宫之庭。"又云："《圣寿乐》高宗武后所作也，舞者百四十人。"用这样多的人，在天宝前实不能算多，杜甫说"先帝侍女八千人"；白居易说"后宫佳丽三千人"，《新唐书》还说大概有四万人，那末，至少有白氏说的那个数目，在几千佳丽中选用近千人，还可以说是精选出来的呢。

然而，唐代之能在戏剧上有极大的贡献，还得归功于商业的发达，也得要感谢那在江都死于非命的隋炀帝。他开了南北贯穿的运河，这条大动脉，给唐宋两代大有利益。因有了它，国家多了财富，都市趋于繁荣，也因此增多了和歌舞以及其他戏乐息息相关的娼妓，互相助长，以抵于隆盛。当时有供皇帝娱乐的"六宫粉黛"——宫妓，已如前述，更有供达官贵人娱乐的官妓。据说官妓除此外，还有大用处呢。《唐会要》说："宝历二年九月，京兆府奏：伏见诸道方镇，下至州县军镇，皆置音乐以为娱乐，岂惟夸盛军戎？实因接待宾旅。"

在官妓外，还有营妓，《尧山堂外纪》说："唐宋间郡守新到，营妓皆出境而迎"，色艺也许比宫妓、官妓差点，助长戏乐之功则一。再则天宝十载九月二日有敕五品以上正员清官、诸道节度使及太守等，均得蓄养家妓，以娱耳目（见《唐会要》）。因此"黄金不惜买蛾眉"的颇不乏人；同时，商业繁荣的都市里之有无数娼妓，那就理之当然的了。当时如长安、洛阳、扬州、广州、襄阳、金陵等地就更多，戏乐也就以北里为孕育成长的摇篮。此外，还有一种重大的助力，和军事、政治、经济都有关。我们知道唐是武功最盛的一代，就因为武功盛，便得因国际交通贸易以致文化输入之果。在初唐，和外国的交通还赖突厥做媒介，后来置在安西都护府的政治力量之下，可直接和印度、波斯以及里海一带的国家交往，贸易频繁，商人们也就顺便带来了各国的艺术，新音乐歌舞的输入，便是中国戏剧史上的一件大事，所谓"燕乐"，就经西域而入大唐。白居易所咏的"左旋右转不知疲，千匝万周无已时"的"胡旋女"，是这时进来的。（《册府元龟》："开元十七年正月，米国遣使献胡旋女子三人。"又《唐音癸签》，康国乐舞曲有《贺兰钵》等四曲，其舞急转如风，俗谓之胡旋。戡按：米国即康国之一支。)《菩萨蛮队舞》也是这时进来的。(《杜阳杂编》："大中初，女蛮国贡双龙犀，明霞锦，其国人危髻金冠，璎珞被体，故谓之'菩萨蛮'。"戡按：日人桑原鹭藏云：菩萨系波斯语Massulman的音译，字源出于阿拉伯语Maslim，义即回教徒，那末就是"大食乐曲"了。) 其他印度佛教神曲，波斯景教、祆教乐曲，也在此时纷纷入中国，这样，唐代的音乐怎么会不飞跃地进步呢？

关于乐曲方面，自肃、代以降，均有因造。这功劳可以完全归于玄宗身上。在唐代演故事的东西，我们在文献上只能找到一种《樊哙排君难戏》，这戏又称《樊哙排闼剧》，较"代面""钵头""踏摇娘"更复杂些。

> 王国维《戏曲考源》："昭宗光化中，孙德昭之徒刃刘季述，始作《樊哙排闼剧》。"

这曲到现在虽无足征，一般都说是演述汉高祖和项羽会于鸿门，范增欲杀高祖，而樊哙持盾撞入翊护，使高祖免于难的故事。

《史记·樊郦滕灌列传》："项羽在戏下，欲攻沛公。沛公从百余骑，因项伯面见项羽，谢无有闭关事。项羽即飨军士。中酒，亚父谋欲杀沛公，令项庄拔剑舞坐中，欲击沛公，项伯常肩蔽之。时独沛公与张良得入坐，樊哙在营外，闻事急，乃持铁盾入到营。营卫止哙，哙直撞入，立帐下。项羽目之，问为谁？张良曰：'沛公参乘樊哙。'项羽曰：'壮士！'赐之卮酒、彘肩。哙既饮酒，拔剑切肉食尽之，项羽曰：'能复饮乎？'哙曰：'臣死且不辞，岂特卮酒乎？且沛公先入定咸阳，暴师霸上，以待大王。大王今日至，听小人之言，与沛公有隙，臣恐天下解，心疑大王也。'项羽默然。沛公如厕，麾樊哙去。既出，沛公留车骑，独骑一马，与樊哙等四人步从，从间道山下归走霸上军，而使张良谢项羽。项羽亦因遂已，无诛沛公之心矣。是日微樊哙奔入营诮让项羽，沛公事几殆。"

《项羽本纪》亦有类此记载，这故事到唐代还用之于傀儡戏中。《封氏闻见记》曾载：

大历中，太原节度辛景云葬日，诸道节度使使人修祭，范阳祭盘最为高大，刻木为……之戏，机关动作，不异于生。……使者请曰:"对数未尽。"又停车,设项羽与汉高祖会鸿门之象,良久乃毕。

那末我以为称《樊哙排君难戏》为是,因《樊哙排闼剧》原为另一推门直入事,由下一记载可证:

《汉书·樊哙传》:"高帝尝病,恶见人,卧禁中,诏户者无得入群臣……哙乃排闼直入。"

并且《唐会要》及宋敏求《长安志》都称《樊哙排君难戏》,当以不据陈旸之说为佳。

《唐会要》卷三十三:"光化四年正月,宴于保宁殿,上制曲,名曰《赞成功》。时盐州雄毅军使孙德昭等,杀刘季述反正,帝乃制曲以褒之,仍作《樊哙排君难戏》以乐焉。"

《长安志》:"昭宗宴李继昭等将于保宁殿,亲制《成功曲》以褒之,仍命伶官作《樊哙排君难杂戏》以乐之。"

依此,此戏的确是昭宗时的创作了,不过除乐、歌、舞、故事有如上述的演变外，另有其他使戏剧形式更趋完备的一点，虽说仍是脱胎于前人的谐谑调笑，却变成一种对话（Dialogue）了，那就是以滑稽问答为主的参军戏。

《乐府杂录》："开元中黄幡绰、张野狐弄参军，始自后汉馆陶令石耽，耽有赃犯，和帝惜其才免罪，每宴乐，即令衣白夹衫，命优伶戏弄辱之，经年乃放，后为参军，误也。开元中有李仙鹤善此戏，明皇特授韶州同正参军，以食其禄，是以陆鸿渐撰词言'韶州参军'，盖由此也。"

《太平御览》则引《赵书》石勒参军周延为馆陶令事，王国维谓："后汉之世，尚无参军之官，则《赵书》之说殆是。"石耽和周延的故事，也许相同，而各自为戏，未可以汉无参军官，便断定无此戏。关于此，近人冯沅君在其《古优解注》中引《江行杂录》阿布思妻故事来论证"古代以罪人为优"的一点，倒是较王说为正确些。那末还是认参军戏源出于汉时，盛行于唐宋两代罢。弄参军便是嘲弄窘辱贪官污吏的戏，演时由两人扮演，一饰绿衣（唐以前或穿白，或穿黄，或穿绿，故宋谓之绿衣参军）秉笏的官人（唐时手执木简，宋则手执竹竿拂子或执杖），一饰鹑衣髽髻的苍鹘，这戏中以参军为主，苍鹘为副。又以对话为主，歌唱为副，后者可以下说证之：

> 《云溪友议》：元稹廉问浙东，"有俳优周季南、季崇及妻刘采春，自淮甸而来，善弄陆参军，歌声彻云。"

但这戏的优点不在乎歌唱，只在乎对话。例如《资治通鉴》所载："侍中宋璟，疾负罪而妄诉不已者，悉付御史台治之。谓中丞李谨度曰：'服不更诉者出之，尚诉未已者且系。'由是人多怨者。会天旱有魃，优人作魃状，戏于上前，问魃何为出？对曰：'奉相公处分。'又问何故？对曰：'负冤者三百余人，相公悉以系狱抑之，故魃不得出。'上心以为然。"顺便举一条宋代的，洪迈《夷坚志》载："又尝设三辈为儒道释，各称诵其教，儒曰：'吾之所学，仁义礼智信，曰五常。'遂演畅其旨皆采引经书，不杂媟语。次至道士，曰：'吾之所学，金木水火土，曰五行。'亦说大意。未至僧，僧抵掌曰：'二子腐生常谈，不足听！吾之所学，生老病死苦，曰五化，《藏经》渊奥，非汝等所得闻，当以现世佛菩萨法理之妙，为汝陈之，盍以次问我！'曰：'敢问生？'曰：'内自太学辟雍，外至下州偏县，乃秀才读书，尽为三舍生,华屋美馔,月书,季考,三岁大比,脱白挂绿,上可以为卿相,国家之于生也如此。'曰:'敢问老?'曰:'老而孤独贫困,必沦沟壑,今所在立孤老院,养之终身,国家之于老也如此。'曰:'敢问病?'曰:'不幸而有病,家贫不能拯疗,于是有安济坊,使之存处,差医付药,责以十全之效,其于病也如此。'曰:'敢问死?'曰:'死者,人所不免,唯穷民无所归,则择空隙地为漏泽园;无以殓,则与之棺,使得葬埋,春秋享祀,恩及泉壤,其于死也如此。'曰:'敢问苦?'其人瞑目不应,阳若恻悚!然促之再三,乃蹙额答曰:'只是百姓一般受无量苦!'徽宗为恻然长思,弗以为罪。"

像这一种含讥刺的优语,往往致下情上达,有裨益时政之效。这一种戏也确是唐宋两代所特有的艺术形态,而演这种戏的优人,必须有不可多得的才智方能胜任。也正如马彦休《唐阙史》记优人李可及所云:"滑稽谐戏,独出辈流,虽不能托讽匡正,然巧智敏捷,亦不可多得。"这些优人还能继东方朔、淳于髡的衣钵。后此戏剧很多保存这成分,而它又单独地另行存在,便是现代的"相声"。(笔者曾有《说"丑""相声"》专文论之,兹不赘。)

到唐代止,可说戏剧形式规模粗具。以下述进入了由完整形式而至于隆盛。

在军事、政治上说,唐末五代和南北朝没有大异,可说是极混乱的时期。在海上贸易上说,却是最繁盛的,一直到宋,只有愈加向荣。黄巢之乱,固曾一度破坏了大食人在中国的商业,然到南唐后主时又恢复了。直到宋高宗时未尝断绝往来,甚至当权的大臣如张循王俊,也兼营着海外贸易,官僚资本就在这方面发展(罗大经《鹤林玉露》曾载其事)。因为国际贸易盛,国内都市日趋繁荣,北宋的汴梁、南宋的临安,为其中之最大者。汴梁和南方的交通是依赖着运河的。

不止此,四川、广东一带的东西,也经运河北运。当然朝廷用度所仰赖外,还有商货运输。汴梁以及沿运河的各都市自然发展极速,人口集中,商业繁荣,便促成了音乐歌舞以及一般伎艺的进步,再加上宋朝初期至少有一百九十年,各方面都很安定,在徽宗以前,所谓"天下太平,民生安乐"八个字还能用得上,皇都汴梁,不用说更繁庶。当时的情形,宋孟元老《东京梦华录·序》中曾道及:

> 太平日久,人物繁阜。垂髫之童,但习鼓舞,班白之老,不识干戈。……灯宵月夕,雪际花时……举目则青楼画阁,绣户珠帘,雕车竞驻于天街,宝马争驰于御路,金翠耀目,

> 罗绮飘香，新声巧笑于柳陌花衢，按管调弦于茶坊酒肆……花光满路，何限春游？箫鼓喧空，几家夜宴？伎巧则惊人耳目，奢侈则长人精神。

这可不备录了。总之，这种情形差不多继续到宣和末年。靖康间金兵陷汴京，方是"一旦刀兵齐举，旌旗拥百万貔貅，长驱入歌台舞榭，风卷落花愁"。于是，所遗下的"宣政风流"归于风流云散，连"清平二百载"的"典章文物"，也"扫地都休"了。到了南宋，照理应减却往日的穷奢极乐，事实却不然。新的政治中心区域临安，论人口，有"参差十万人家"；论风景，有"六桥疏柳，孤屿危亭"，更有那使金主亮起"立马吴山第一峰"之念的"三秋桂子，十里荷花"；论财富吧，正如《咸淳临安志》载《钱塘县厅壁记》所说："钱塘古都会，繁富甲于东南。"有了如此的条件，这里的官民自然有"红杏香中歌舞，绿杨影里秋千"的豪情逸致，哪管国家已只剩半壁河山，国运已到了"山雨欲来风满楼"的时候！像那些无公有私的权臣们，那就更沉溺于声色之娱了。

> 赵翼《陔余丛考》载："张俊岁收租六十四万斛……高宗尝驾幸其第，俊所进服玩珠玉锦绣，皆值巨万……其

孙镃，园池声伎甲天下，每宴，十妓为一队，队各异其衣色，凡十易始罢。客去时，姬侍百余人送客，烛花香雾，如游仙窟。"

因此，那些有心人蒿目时艰，只有寄慷慨激荡的情怀于悲歌："一勺西湖水，渡江来百年歌舞，百年酣醉，回首洛阳花世界，烟渺黍离之地，更不复新亭堕泪，簇乐红妆摇画舫，问中流击楫何人似？千古恨，几时洗？"一类的词曲也就产生了。

所以，一切戏剧娱乐，确是应有尽有，在承平时代的汴梁已不消说起，离乱后苟延残喘于江南的时期又何尝不同？况临安近海，商业资本更发达，戏乐自然也更盛。不说别的，单就瓦舍及附设的勾栏说，其数目之多，规模之大，岂隋唐两朝所可比拟！

> 孟元老《东京梦华录》云："近北则中瓦，次里瓦，其中大小勾栏五十余座，内中瓦子莲花棚、牡丹棚，里瓦子夜叉棚、象棚最大，可容数千人，自丁仙现、王团子、张七圣辈，后来可有人于此作场，瓦中多有货药、卖卦、唱故衣……纸画、令曲之类。"

此外，即承前代之旧的百戏，也增多了花样，诸如演史、小说、唱赚、小唱、嘌唱、弹唱因缘、诸宫调、唱京调、唱耍令、唱拨不断、说诨话、合生、杂剧、弄傀儡、弄影戏等，新增名目繁多。即便古代之大傩，到这时期也扩大了规模，观《东京梦华录》"除夕"条所云可知。再则卷七"圣驾登宝津楼诸君呈百戏"条所说，则更为热闹：

> 烟火大起，有假面被发，口吐狼牙烟火如鬼神状者上场，着青帖金花短后之衣，帖金皂袴，跣足携大铜锣，随身步舞而进退，谓之抱锣。……有面涂青绿戴面具，金睛，饰以豹皮锦绣看带之类，谓之硬鬼。……有假面长髯，展裹绿袍、靴，简如钟馗像者，傍一人以小锣相招和舞步，谓之舞判。继有二三瘦瘠以粉涂身，金睛白面如髑髅状，系锦绣围肚看带，手执软杖，各作魁谐趋跄，举止若排戏，谓之哑杂剧。……又复烟火出散处，以青幕围绕列数十辈，皆假面异服，如祠庙中神鬼塑像，谓之歇帐。

这显然是由古方相氏颟头演进的，由简而繁，扬弃其"傩却疫疠"之本义，而成为专门的戏乐，和角抵混在一起，不就成为后来"目莲戏"的素材了吗？只要看看关于"目莲戏"的记载，即便首肯我这臆断吧？

> 明张岱《陶庵梦忆》："余蕴叔演武场，搭一大台，选徽州旌阳戏子，剽轻精悍，能相扑跌打者三四十人，搬演目莲，凡三日三夜，四围女台百什座，戏于献技台上，如度索、舞𦆑、翻桌、翻梯、筋斗、蜻蜓、蹬坛、蹬臼、跳索、跳圈、窜火、窜剑……锯、磨、鼎镬、刀山、寒冰、剑树、森罗铁城、血澥，一似吴道子地狱变相，为之费纸札者万钱。"

同时古代的"角抵""奇戏"在两宋也同样盛行，其花样之繁杂，比之往昔，实有过之无不及。在《东京梦华录》《梦粱录》《武林旧事》等书中，各有详记，于此仅举《梦粱录》中一则为例：

> 百戏踢弄家，每于明堂郊祀年分丽正门宣敕时，用此等人立金鸡竿承应，上竿抢金鸡。（戡按：据《武林旧事》："金鸡竿长五丈五尺，四面各百戏一人，缘索而上，谓之抢金鸡，先到者得利物，呼万岁，似即上竿戏，亦称竿木。"）兼之百戏能打筋斗、踢拳、踏跷、上索、打交辊、脱索、

索上担水、索上走（截按：此等均该归入"绳技"）、装神鬼、舞判官、斫刀、蛮牌、过刀门、过圈子等。……又有村落百戏之人，拖儿带女，就街坊桥巷呈百戏使艺，求觅铺席宅舍、钱酒之资，且杂手艺即使艺也。如踢瓶……撮放生等艺，淳祐以后，艺术高者有包喜……金胜等。此艺施呈，委是奇特，藏去之术，则手法疾而已。

至于在唐代已盛行的参军戏，到宋代更进步，而且也可说唐代的参军戏到了宋代进化为杂剧，真正的戏剧形式方算完成。这里先举岳珂《桯史》所载的一节，以证初由参军戏蜕变至杂戏的情形吧！

秦桧以绍兴十五年四月丙子朔，赐第望仙桥。丁丑，赐银绢万匹两，钱千万，绢千缣。有诏就第赐燕，假以教坊优伶，宰执咸与。中席，优长诵致语，退。有参军者前，褒桧功德。一伶以荷叶交倚从之，诙语杂至，宾欢既洽。参军方拱揖谢，将就倚，忽堕其幞头，乃总发为髻，如行伍之巾，后有大巾镮，为双叠胜。伶指而问曰："此何镮？"曰："二胜镮。"（按胜圣、镮还同音）遽以朴击其首，曰："尔但坐太师交倚，请取银绢例物，此镮掉脑后可也！"

一坐失色,桧怒,明日下伶于狱。

在这戏中,故事(虽然简单)、动作、对话、服装、道具都有,而且还有西洋古剧风的优长致语,调笑讥讽又有它的中心意义,所少的只是歌唱,几可归入话剧一类,这比唐代参军戏进步的痕迹显然可见。这不过是一个例,前时的参军戏已有歌唱,依上引《云溪友议》的话看来,那末宋时的杂剧,当然也不会少去这一部分吧!况且宋太宗、徽宗都和唐玄宗一样地知音晓律,后来还有大晟乐府之设,使乐歌的部分更加增精彩。宋代关于戏剧的资料,现存的固缺乏,但我们可由仅少的材料中得知,宋代杂剧是到完成元代的杂剧和戏文的桥梁。现在约略谈一谈宋的杂剧和金的院本。元的杂剧和戏文,只能够略谈,要详尽还得请看王国维《宋元戏曲史》。

据说杂剧始于北宋,《宋史·乐志》谓"真宗为杂剧词"。《梦粱录》谓"教坊大使孟角球曾做杂剧本子"。其体裁如何,不能知道,只能在《武林旧事》中得所载"官本杂剧杂段数"二百八十本,其中用大曲者一百零三,用小曲者四,用诸宫调者二,用词调者三十,用曲调者九。周密这书作于南宋末,想必把两宋戏剧全包罗进去了,甚至其中当然还有金院本在。此外《东京梦华录》所谓:"装妇人神鬼,敲锣击鼓,巡门乞钱，俗呼为打夜胡。"《续墨客挥犀》所谓"王子醇平熙河，边陲宁静，讲武之暇，因教军士为讶鼓戏"，及《武林旧事》所记舞队六十九种，都是装作人物故事的杂剧。"当时教坊十三部中，以杂剧为正色。"其被看重及盛况可以想见之。

杂剧的内容，较参军戏复杂得多，组织可分三部。《都城纪胜》："先做寻常熟事一段，名曰艳段，次做正杂剧，通名为两段。……杂扮或名杂旺，又名纽元子，又名技和，乃杂剧之散段。"

"艳段"即《辍耕录》所谓"焰段"，"杂扮"系扮各种人物取笑之意，这一部分大致是笑剧（Farces），由此可见杂剧本身很复杂。演员也已由唐时的参军、苍鹘二角增多，所谓脚色的名称增繁了。

《梦粱录》："杂剧中末泥为长，每一场四人或五人……末泥色主张，引戏色分付，副净色发乔，副末色打诨，或添一人名曰装孤。"

这里的"末泥"或是"戏头"，即"优长"，许是出于古舞中引舞的"舞头"，以主张为职。"引戏"任指挥，两者均不亲身扮演角色,"副净"(古参军)、"副末"(古苍鹘)、"装孤"是正式的演员。《武林旧事》所列脚色无"装孤"而有"装旦",这不过是一装男官吏、一装女人之别罢了。

院本和杂剧相差不远,内容都是演种种故事,在宋称杂剧,在金称院本,陶九成《辍耕录》著录院本名目达六百九十种之多。两者大致相似点:第一是段数,杂剧分"艳段"、"正杂剧"(两段)及"杂扮"等共四段,为后来元代杂剧四折体的萌芽;院本曲中有"拴搐艳段"一门,多属谐谑,中有"毬捧艳""破巢艳"等目,和"正杂剧"相当,有许多院本前也有"艳段",最后一段虽未见明文,院本中却有很多类似笑剧的东西,和"杂扮"相当。院本名目中有"冲撞引首"(多属竞技)、"打略拴搐"及"诸杂砌"(多属游戏)三门,即演笑剧兼杂艺的。第二是脚色,杂剧有"末泥""引戏""副净""副末""装孤";院本也有五人为"副净""副末""引戏""末泥""装孤"。第三是类似的戏目很多。这相差不远的原因,是脱离游牧时代未久的金的文化比中国低,入主中原,自受高文化的影响同化,犹之罗马之受希腊同化,中外古今都有此例;而且当金末和中国有军事政治的关系以前,在文化上——尤其戏剧上恐已有交易。

在宋金，不只剧本方面有了杂剧、院本，舞台演出方面也趋隆盛，于是有作剧的专家，有职业的演员，有专供演剧的戏场，展开了真正的演剧史之第一页。当时的剧作者名为"才人"，钟嗣成《录鬼簿》所说"前辈已死名公，才人，有所编传奇行于世者"的"才人"就是。而这些才人们还组织了如现在的剧作者联谊会之类的团体，当时叫作"书会"。元明杂剧《蓝采和》中云"这的是才人书会划新编"即指此种团体，各团体有各自的名称，像咱们永嘉的九山书会，便是当时鼎鼎有名的一个。所编的剧本也开始刊印成书，据说当时的大都及临安两处，便是刊印剧本的中心地。这些剧本由演员带用的抄本，也别有名称，称为"掌记"，就等于我们现在的台本。如《宦门子弟错立身》中的："（生）闲话且休提，你把这时行的传奇，且看掌记，你从头与我再温习。（旦白）你直待要唱曲，相公知道不是要处。（生）不妨，你带得掌记来敷衍一番。（旦）这里有。"有了剧本，当然需要剧场及演员来演出它，因而有被称为"勾栏"或"构肆"的剧场，规模宏大，数目也极多，于是不能没有职业演员——"路歧"了。他们又管演剧叫作"做场"或"敷演"，并且敷演时得"梳裹"（化装），得穿"行头"（戏衣），更得用"砌末"（道具），而且不只职业演员辈出，以玩耍姿态出现的人也不在少数，《太

和正音谱》载:

> 子昂赵先生曰:"良家子所扮杂剧谓之行家生活,娼优所扮者谓之戾家把戏。"

可见当时既有不少戾家,而也有不少行家了。

第五章　剧曲（元明时期）

到了元朝，杂剧被改进之点更多，不止内容愈见扩大、充实，结构上也至为美备，真正的戏剧艺术于焉完成。它的最显明的进步，简略地说起来有如下的几点：

第一，宋杂剧的四段，是各自为事的，其间并不互相联络；而元杂剧恰和此相反，四折互相关联，一气呵成，使一剧成为一首尾俱全的整体。

第二，宋杂剧的内容繁杂，是一种杂烩式的笑剧，缺乏单一性；而元杂剧则相反，故事单一，有始有终，但仍不失其情节错综，这在技巧上说大见进步。

第三，脚色较宋杂剧增加了好多，"末泥"改为"正末"，"副末"改为"外末""冲末""二末""小末"等，"副净"改为"净"，"杂扮"改为"丑"，尤其旦角，更见大增，有"老旦""正旦""小旦""旦徕""色旦""搽旦""外旦""贴旦"等。

第四，乐曲有极多进步，宋金的杂剧院本，一剧只有一种主要的乐曲，元杂剧则在一折之中包含大曲、小曲、词调，间或插用时调，由散序、靸、排、遍、攧、正攧、入破、虚催、实催、衮遍、歇拍、杀衮的顺序依次排列起来。

第五，当然是曲词的进步，正如王国维所说："元曲之佳处何在？一言以蔽之，曰：自然而已矣！古今之大文学无不以自然胜，而莫著于元曲。"

总之，戏剧至元，无论在演剧性、文学性上说，都占空前绝后的位置，这已是定论，因此亦为自王国维迄现在的许多剧史家所详论，我为避免拾唾余之讥，只能从略说了。

现在，我先说北曲。我们知道宋大曲都是叙事体，到金代的诸宫调始有代言体，然大体上还是叙事体。元杂剧在这上面有飞跃的进步，以主要的曲文代言，以次要的科白叙事，这个运用显得灵活，所谓"体贴入微"由这一套方法才能办到，而也才能够得上真正的戏曲的资格。

曲既被采为主要的代言之用，也就产生许多为前代所无的曲调，和前代已有的并合起来用了。据周德清《中原音韵》

说,有十二宫三百三十五调,计为:

黄钟(二十四)、正宫(二十五)、大石调(二十一)、小石调(五)

仙吕(四十二)、中吕(三十二)、南宫(二十一)、双调(一百)

越调(三十五)、商调(十六)、商角调(六)、般涉调(八)

在隋唐之间的燕乐二十八调,用于元剧中只十二宫调,而这十二调的情趣各个不同,据芝庵说是:

(仙吕宫)清新绵邈(南吕宫)感叹伤悲(中吕宫)高下闪赚

(黄钟宫)富贵缠绵(正宫)惆怅雄壮(大石调)风流蕴藉

(小石调)旖旎妩媚(般涉调)拾掇坑堑(商调)凄怆怨慕

(商角调)悲伤宛转(双调)健捷激袅(越调)陶写冷笑

就剧情而选调，发挥抑扬顿挫的功能。而所谓三百三十五调，自然不全是独创的，大都来有所自，总括出于大曲者十一；出于唐宋词者七十五，出于诸宫调中各曲者二十八，此外还有许多也是出于宋代旧曲的。不只曲调如是，即剧本的取材，也有很多出自诸古剧的。王国维曾列一表，于此借用：

元杂剧		宋官本杂剧	金院本名目	其他
作者	剧名			
关汉卿	姑苏台范蠡进西施		范蠡	董颖薄媚大曲
同上	包待制三勘蝴蝶梦		蝴蝶梦	
同上	隋炀帝摔龙舟		摔龙舟	
同上	刘盼盼闹衡州		刘盼盼	
高文秀	刘先主襄阳会		襄阳会	
白朴	裴少俊墙头马上	裴少俊伊州	鸳鸯简墙头马	
同上	崔护调浆	崔护六么 崔护逍遥乐		
庚天锡	隋炀帝风月饰帆舟		摔龙舟	
同上	薛昭误入兰昌宫		兰昌宫	
同上	封鹭先生骂上元	封涉中和乐		
李文蔚	蔡逍遥醉写石州慢		蔡逍遥	
李直夫	尾生期女浔蓝桥		浔蓝桥	
吴昌龄	唐三藏西天取经		唐三藏	
同上	张天师断风花雪月	风花雪月爨	风花雪月	

第五章 剧曲（元明时期）

续表

元杂剧		宋官本杂剧	金院本名目	其他
作者	剧名			
李寿卿	船子和尚秋莲梦		船子和尚四不犯	
王实甫	韩彩云丝竹芙蓉亭		芙蓉亭	
同上	崔莺莺待月西厢记	莺莺六么		董解元西厢记诸宫调
尚仲贤	海神庙王魁负桂英	王魁三乡题		宋末王魁戏文
同上	凤凰坡越娘背灯	越娘道人欢		
同上	洞庭湖柳毅传书	柳毅大圣乐		
同上	崔护谒浆	（见前）		
同上	张生煮海		张生煮海	
史九敬先	花间四友庄周梦	庄周梦		
郑光祖	崔怀宝月夜闻筝		月夜闻筝	
范康	曲江池杜甫游春		杜甫游春	
沈和	徐驸马乐昌分镜记			南宋乐昌分镜戏文
周文质	孙武子教女兵			宋舞队有孙武子教女兵
赵善庆	孙武子教女兵			（同上）
无名氏	朱砂担滴水浮沤记	浮沤传永成双浮沤幕云归		
同上	逞风流王焕百花亭			宋末王焕戏文

续表

元杂剧		宋官本杂剧	金院本名目	其他
作者	剧名			
无名氏	双斗医		双斗医	
同上	十样锦诸葛论功		十样锦	

自然，戏剧到元之所以特盛，不是无因。元朝是君主专制发达到极点的时候，可以拟之于欧洲十八世纪，商业经济发展到最高阶段，财富集中于蒙人之手，手工业的生产品已倾销于外国，国库券自由使用，地主与商业阶层合成这国家，当时的情形只要看马可·波罗（Marco Polo）的《东方见闻录》就会明了。别的不用说，在当时的元都——"北京，营业的妓女，娟好者达两万，每日商旅及外侨往来者甚夥，故均应接不暇"。戏剧当然很盛，在当时是高雅的娱乐，当然促成戏剧形体的完整。至于一戏由四折（等于南戏的"出"，或近代话剧的"幕"）加一楔子，以及科白曲三种要素构成了。而且也因驿站交通的便利，由北而南的传播极易，全国盛行，不消说起，久之，南戏也就崛起了。

这里，我再说南曲。这南曲便是元末明初占势力的戏剧，北曲承金院本之源，南曲承南宋杂戏之源。

《顾曲麈谈》引《艺苑卮言》:"旧词之格,往往于嘈杂缓急之间不能尽按,乃别创一调以媚之。"

这是指宋时给人所唱者都为当时盛行的新体词,及金人占据了中国的北部始造新声,王世贞认为宋末北曲的起因如此。其实这解释不够彻底,我以为与其如此说,不如说北方的金人得了政权,政治中心在北,北曲必然产生;元人也是北人,所以元朝上半段也盛行北曲,后半段经济中心渐移南方(和宋南渡相似),而且南方都市的商业阶层兴起,南曲也就兴起,这是最大的理由。其次的理由才是:

《艺苑卮言附录》:"词不快北耳而后有北曲,北曲不谐南耳而后有南曲。"

这之间固因自然的趋势,但也因本身的进步,东海郁蓝生之说,实不无理由。

《曲品》:"杂剧北音,传奇南调,杂剧折数惟四,唱止一人;传奇折数多,唱必匀派。杂剧但撼一事颠末,其境促;传奇备述一人始终,其味长。无杂剧则孰开传奇之门?无传奇则未畅杂剧之趣也。传奇既盛,杂剧浸衰,北里之管弦播而不远,南方之鼓吹簇而弥喧。"

至于南北曲的异同,当不止此,为便利计,借用王骥德的话:

《曲律》:"以声而论,则关中康德涵所谓南词主激越,其变也为流丽;北曲主慷慨,其变也为朴实。惟朴实,故声有矩度而难借;惟流丽,故唱得宛转而易调。吴郡王元美谓南北二曲,譬之同一师承,顿渐分教,俱为国臣而文武异科。北主劲切雄丽,南主清峭柔远。北字多而调促,促处见筋,南字少而调缓,缓处见眼。北辞情少而声情多,南声情少而辞情多。北力在弦,南力在板。北宜和歌,南宜独奏。北气易粗,南气易弱,此其大较。"

观此,当可得其大略了。

现进而谈南戏。

有人说南曲始于高则诚的《琵琶记》,此说之非,王国维在其《录曲余谈》中已证之,兹不赘及。另一说,则谓元朝南曲的起源,是根据南宋的戏文而来。

《猥谈》:"南戏出于宣和之后,南渡之际,谓之温州杂剧。予见旧牒,其时有《赵闳夫榜禁》颇述名目,如《赵真女蔡二郎》等,亦不甚多,以后日增,今遍满四方,转转改益,又不如旧,而歌唱愈谬,极厌观听,盖已略无音律腔调。"

祝允明此说,王国维也以为"则未详其说之本"。

《草木子》:"俳优戏文始于《王魁》,永嘉人作之……其后元朝南戏尚盛行,及当乱,北院本特盛,南戏遂绝。"

叶子奇也说到温州永嘉,因此后来一些人都认为南戏起于永嘉,但笔者是温州永嘉人,实不敢当。宋渡江以后,浙江是政治中心区域,永嘉海陆交通便利,为士大夫及商人集中之处,南戏在永嘉一带可能特别盛行;源出于永嘉,则我恐未必。虽然《永乐大典》本《张协状元》第一出中有这些话:

《状元张协传》前回曾演,汝辈搬成这番书会,要夺魁名,占断东瓯盛事,诸宫调唱出来因,厮罗响,贤门雅静,仔细说教听。

东瓯是温州，这也只不过说明在温州一带流行演唱罢了。

据王国维说："南戏之渊源于宋殆无可疑，至何时进步至此，则无可考，吾辈所知，但元季既有此种南戏耳。然其渊源所自，或反古于元杂剧，今试就其曲名分析之，则其出于古曲者更较元北曲为多。"就这样，他考得出于大曲者二十四，出于唐宋词者一百九十，出于金诸宫调者十三，出于南宋唱赚者十，同于元杂剧曲名者十三，其有古词曲所未见，而可知其出于古者也不少，结论为："总而计之，则南曲五百四十三章中出于古曲者凡二百六十章，几当全数之半，而北曲之出于古曲者，不过能举其三分之一，可知南曲渊源之古也。"由此也足见南戏出于温州实不无问题，所以我只敢承认南宋时温州曾盛行南戏。说明这个盛行的理由，《录曲余谈》中一段话可以照抄：

> 曲家多限于一地，元初制杂剧者，不出燕、齐、晋、豫四省，而燕人又占十之八九。中叶以后，则江浙人代兴，而浙人又占十之七八，即北人如郑德辉、乔梦符、曾瑞卿、秦简夫、钟丑斋辈，皆吾浙寓公也；至南曲，则为温州人所擅，

宋末之《王魁》，元末之《琵琶》，皆永嘉人之作也。又叶文庄《菉竹堂书目》有永嘉《韫玉传奇》，亦元末明初人作；至明中叶以后，制传奇者，以江浙人居十之七八，而江浙人中，又以江之苏州，浙之绍兴居十之七八，此皆风习使然，不足异也。

我所同意的，便是"至南曲，则为温州人所擅"一语。往日的温州原有九山书会，作者自多，作者多自然演出多，何况温州又以出戏文子弟名的。明陆容《菽园杂记》说：

……温州之永嘉，皆有习为倡优者，名曰戏文子弟。

依据这些事实，说南渡之际的温州曾盛行南戏，我想不至有多大问题吧！

然而南宋的杂剧和元末明初的南曲，仍有其不同处：

（一）剧的长短　后者较前者长几十倍。

（二）乐曲组成　前者一剧纯用一主要乐曲；后者杂缀众曲，又混用诸宫调。

（三）演唱次第　前者先以科白开场，后演歌舞；后者以先演歌曲一出为通例。

南曲本身的特点是结构自由，打破了西洋古典的"三一律"似的四折加一楔子的定律，出数可多至数十（例如《琵琶记》即有四十三出），且在开头必有一提要，等于西洋剧的Prologue。一出中混用两种以上的宫调，显得不呆板，舞台转换也加繁，脚色也加多，尤其合理解放的是"曲""白""科"三要素方面，废弃一角独唱制，而用"独唱""接唱""同唱""合唱"四种形式。"科"和"白"跳上重要的地位，先唱后白，定场的独白先以诗，后继以口语，又往往几人登场分担念一诗或一词，再继之对话。南曲不死守古法，这浪漫主义对古典主义反抗似的精神和当时的政治情形互相呼应。因为元朝权势和金钱集中及专制政治固招来了都市的勃兴和国家的繁荣，却也埋下了自戕的炸药。自从入主中原以来，把人民分成许多阶层，汉人极被仇视，在各种高压之下，所谓民族意识，也就开始觉醒活动了。当时又容喇嘛僧到处骚扰汉人，汉人反抗，辄被残杀，诸如此类事实，都足以激发商人阶层的民族意识。到顺帝时代再加以黄河溃决，连年凶荒的天灾，农村破产，农民陷于极度的困苦；而政府方面，滥发钞币，物价因之飞涨，京畿一带至于每钞十锭尚不能购斗粟，促使当时的人民不能不起来反抗，不久便把元代送了终。在戏剧上，自然也能有由北曲到南曲的演变；从整个元剧时代的作家的出生地上，也可看到这由北而南的痕迹。据钟嗣成《录鬼簿》的统计，有百十七人，又分为三个时期：

（一）蒙古时期——自太宗取中原至世祖统一南北止（1234—1279），剧作家五十六人，都是北方人，只有马致远、尚仲贤、张寿卿三人作吏于南方，而也为传播北剧之最有力者。

（二）统一时期——自至元后到至顺后至正间（1280—1340）剧作家三十六人，南方者占十之七，尤其杭州（临安）为最多；北方者六七人，且都与南方有某种特殊关系。

（三）元末时期——（1341—1367）剧作家几乎全数是南方人，只有高君瑞为北方人。

最后说一说元杂剧取材的范围，这可以说很广，在现代人看来或嫌它不够广，在戏剧初成形的当时人居然能把眼光射到那么多的方面，实是不容易了！据明宁献王把它总括分为十二科，大致已尽在这十二科范围之内。兹为简明起见，把十二科依次列出，且在每科下举一二剧为例：

（一）神仙道化　马致远《任风子》《黄粱梦》

（二）林泉丘壑　马致远《陈抟高卧》　无名氏《严子陵》

（三）披袍秉笏　马致远《汉宫秋》　白朴《梧桐雨》

（四）忠臣烈士　纪君祥《赵氏孤儿》　杨梓《豫让吞炭》

（五）孝义廉节　宫天挺《范张鸡黍》　萧德祥《杀狗劝夫》

（六）叱奸骂谗　孔元卿、金仁杰《东窗事犯》

（七）逐臣孤子　王伯成《贬夜郎》　无名氏《赤壁赋》

（八）钹刀赶棒　关汉卿《单刀会》　康进之《李逵负荆》

（九）风花雪月　关汉卿《拜月亭》　郑光祖《倩女离魂》

（十）悲欢离合　武汉臣《老生儿》　无名氏《货郎旦》

（十一）烟花粉黛　关汉卿《谢天香》　石君宝《曲江池》

（十二）神头鬼面　尚仲贤《柳毅传书》　无名氏《盆儿鬼》

当然，不归入此十二科的也还有，现存元剧本不多，大体说，这十二科已可概括了。所遗憾的，就是找不到积极革命性的表现，因此，近年有些思想精进的人，就把元剧的身价看低了。我以为这是错误的，在已经过元、明、清三个极权专制时代而留下来少数的作品，自然不会有积极革命性的东西在其中，甚至也许当时曾经过检查，与当时政权有相龃龉之处的剧曲，定被禁绝、毁灭，所以我们不能对它苛求。

以下开始论述戏剧的衰落期。

明太祖说是代表农民阶层的，这个政府建立，最初也能解决当时农民们的要求，但胜利的流氓一旦高居皇宫，生活异常优美，收括赋税及由战争积聚拢来的财富，使他干商业投资，他们便越下去越肥，逐渐离开农民的立场而转化到其他的立场，政府便至于腐败，政权的实质则完全转变为地主和商人阶层的了。所以明初北曲杂剧尚不乏作者，南曲戏文反而衰落，凡为士大夫，总不脱头巾气，爱咬文嚼字，致曲词失去元剧时代的自然，又开始远离民众了。这在重词曲的剧史家认为这时是衰落的，连我们也有此感。然而戏剧究竟是大众的，绝不是帝皇贵族士大夫们腰包中的东西。到明中叶以后，戏文必然地复兴，那时候又有名作出现，多作多演，重复盛极一时。

在这里，我要插入叙一下元末明初敝同乡高则诚的《琵琶记》，因这作品特别有意义，恰能反映当时的社会生活。这作品，有许多人说是高拭作，王国维为此在《曲录》中辩证极详。实为浙江平阳（一说永嘉）人高明作，为元末明初南戏的第一部杰作。后来的南戏常以此为法，全剧四十二出（古本四十三出），故事虽是原有的民间传说，却经他的编写而生色。全部用对照写法，宰相府和农民家的一富一贫、一苦一乐，描写得自然逼真，把当时因天灾人祸所造成的饥馑和农村破产，明描暗写出来，确是了不起的作品。第十四出的"激怒当朝"和第十六出的"丹陛陈情"，教我们看了非起对支配阶层的憎恶和愤恨不可；第九、第十一、第二十一、第二十三、第二十五等出，教我们看了非起对穷人的同情怜悯之感不可。在结构上说，自二十五出起稍差，而且不必要，也有人疑非原有。《曲律》谓："至后八折，真伧父之语！或以为朱教豫所续，头巾之笔，当不诬也。"虽此论未见真确，事实是应截至三十四出为止乃佳，不过高明自己陷入团圆收束的俗套，也不一定不可能就是。

这部戏在当时的声价就很高，据说明太祖就赏爱它。姚福《青溪暇笔》："明太祖尝闻则诚名，遣使征辟不就。太祖尝云：'五经四书，如五谷不可缺；《琵琶记》如珍羞百味，富贵家其可无邪？'"

南戏在元中叶以来已逐渐改进,到明世宗嘉靖间更飞跃地进步,及神宗万历(1573—1619)年间,更有沈璟、汤显祖等剧作家辈出,使戏剧一直辉煌到明末清初。不只在作剧上,即在表演上,也勃兴了昆腔,这一时期便是南戏的黄金时代。

南曲因地理的关系,唱腔各不相同。

> 《南词叙录》:"今唱家称弋阳腔者,则出于江西,两京、湖南、闽、广用之。称余姚腔者,出会稽,常、润、池、太、扬、徐用之。称海盐腔者,嘉、湖、温、台用之。惟昆山腔只行于吴中。"

以上所列四腔,以海盐一腔为最古,传说始自南宋中叶时海盐人循王张俊之孙。《剧说》引明李日华《紫桃轩杂缀》便如是记载:

> 张镃,字功甫,循王之孙。豪侈而有清尚,尝来吾郡海盐,作园亭自恣,令歌儿衍曲,务为新声,所谓海盐腔也。

后来这一腔经澉川杨氏父子提倡,于是流行,元姚桐寿《乐郊私语》云：

> 州少年多善歌乐府，其传皆出于澉川杨氏，当康惠公存时，节侠风流，善音律，与武林阿里海涯之子云石交善，云石翩翩公子，无论所制乐府散套，骏逸为当行之冠，即歌声高引，可彻云汉，而康惠独得其传。……其后长公国材，次公少中，复与鲜于去矜交好，去矜亦乐府擅场，以故杨氏家僮千指，无有不善南北歌调者，由是州人往往得其家法，以能歌名于浙右云。

昆腔虽后出，但较各腔为精美，所以后来有它的统治时代。昆腔的起源是：

> 《南词叙录》："良辅合海盐、弋阳二腔，加以取舍，别成一派，腔调流丽悠远，实超过海盐、弋阳、余姚三腔之上，听之最能荡人。"

魏良辅（尚泉）是昆山人，鉴于南词北曲之不融洽，始加以整理。据余怀《寄畅园闻歌记》说：

良辅初习北音，绌于北人王友山。退而镂心南曲，足迹不下楼十年。当是时，南曲率平直无意致，良辅转喉押调，度为新声，疾徐高下清浊之数，一依本宫，取字齿唇间，跌换巧掇，恒以深邈助其凄泪，吴中老曲师如袁髯、尤驼者，皆瞠乎自以为不及也。

后此，"自吴人重南曲，皆祖昆山魏良辅，而北词几废"（沈德符《顾曲杂言》）。但南曲的唱腔尚未臻至美至善之境，迄良辅的同乡梁辰鱼（伯龙）出，继续修整，方抵于成。据张大复《梅花草堂笑谈》载：

良辅……能谐声律……梁伯龙起而效之，考订元剧，自翻新调，作《江东白苎》《浣纱》诸曲，又与郑思笠精研音理，唐小虞、郑梅泉五七辈杂转之，金石铿然，谱传藩邸戚畹，金紫熠爚之家，取声必宗伯龙氏，谓之昆腔。

据说昆腔又名水磨调，顾名思义，可知此种腔调以细腻圆润著称，其迷惑士大夫阶级的魅力，自然凌驾于质朴的旧腔之上，同时曲文典雅，也非诸腔戏所敢与争。对此，魏諴在《集成曲谱》序中曾有说到：

嘉靖间昆山梁伯龙作《浣沙记》，太仓魏良辅为之订谱，创水磨调以歌之，即今之昆曲也。良辅并将旧有之传奇杂剧，改正腔拍，变为水磨调，于是昆曲盛行，元人北曲之音节遂以失传，即南方梨园向习之弋阳、海盐、余姚诸腔，亦俱废弃。溯自有明嘉靖，以逮国朝道光，三百余年间，主南北歌场之坛坫者，厥惟昆曲，盖昆曲虽创自明人，而其腔格犹有宋词倚声之遗意。况其曲文都为骚人墨客之名作，宜乎风行宇内，村讴俚唱，莫敢争衡也。

同时，昆腔不止在唱腔方面较他腔进步，即在运用乐器方面也有大大的改良，使唱腔更柔美动听，博得帝王贵族士大夫的爱好。最初北曲只用弦索，南曲只用箫管，到了昆腔出，便合而用之了。

《南词叙录》："今昆山以笛、管、笙、琵，按节而唱南曲者，字虽不应，颇相谐和，殊为可听。"
《顾曲杂言》："今吴下皆以三弦合南曲，而又以箫管叶之。"

繁音杂奏，自是动听，于是这一腔，自万历以来流行极盛，后来侵入了京都，又侵入了宫廷，从此更盛；而也从此种下将来衰落的根苗，也就是说戏剧终是大众的，远离大众，便自趋灭亡。北曲绝响后，南曲的弋阳腔也不是昆腔的敌手，大江南北的人都被昆腔迷住了。

这种灿烂期最后有百年光景（清康熙年间止），剧作家八十人，所作新传奇近二百种，南曲戏文，真可谓盛极。其中最大的剧作家当然推江西人汤显祖，所传下的传奇五种，以《牡丹亭还魂记》为最，系"玉茗堂四梦"之一。全剧写少女怀春，细腻灵活，手法不落旧套，颇具创作伟力。

后期的作家中，好的便数李渔，然而这个人被过去一般人看得很轻，我们看法则相反，认为他是第一位懂得戏剧有两重性的人。所作有《奈何天》《比目鱼》《蜃中楼》《怜香伴》《风筝误》《慎鸾交》《凰求凤》《巧团圆》《玉搔头》《意中缘》等十种，称《笠翁十种曲》；另有《万年欢》《偷甲记》《四元记》《双锤记》《鱼篮记》《万全记》六种[①]。我们看重他不在这十六种剧曲，推崇他的是一部《闲情偶记》，因他不只论到如何作曲，竟能论到如何导和演，确

---

① 据《中国大百科全书·戏剧 曲艺》卷"李渔"条：清黄文旸《曲海目》，将《偷甲记》《四元记》《双锤记》《鱼篮记》《万全记》5种传奇，皆录为李渔撰，不确。此5种传奇实为范希哲作。——编者注。

是难能可贵。就说剧曲吧，也颇新鲜，例如十种曲中的《风筝误》，便是西洋的错误喜剧，和莎翁的《错误姻缘》近似。他的作品被欧文日文翻译到国外去了。照理这些应放在下一章说，为便利计，就在此提一提。

再如衰落期的杂剧作家，一般人认为"南洪北孔"为最，但我并不看重洪昇的《长生殿》，而推重孔尚任的《桃花扇》，也为的是它能反映时代，虽以侯方域、李香君为对象，全剧却是一部明亡痛史，写诸镇之争、权奸误国。史可法殉难等悲壮怆凉，令人悲愤，确是一部结构谨严的历史剧，对于人物的描写，也能惟妙惟肖，虽写同一阶层的人物，尚能刻画其个性之各别。尤难能可贵者，为结尾不落俗套，以不了了之，手法异于他人，在作剧术上说，颇可推许；论辞章吧，也不较他人的作品逊色，尤其末尾渔樵问答一段，令人荡气回肠，起故宫禾黍之感。

我虽然把这一期划为衰落期，实际上是指昆曲后来走进牛角尖而远离大众的一点，因为越下去，越失去王国维先生所说元剧的佳处——自然。曲词日趋于典雅深奥，剿袭靡词，远离大众，且了无新意，连《南词叙录》的作者徐渭，也感到作曲者已走上错误的路线，所以他说："曲本取于感发人心，歌之使奴童妇女皆喻，乃为得体。……吾意：与其文而晦，曷若俗

而鄙之易晓也。"这话当然是很对的,可是自昆腔盛行后的剧曲怎样呢?看凌濛初《谭曲杂札》中的一段话便知分晓:

> 曲始于胡元,大略贵当行,不贵藻丽。……盖自有此一番材料,其修饰词章,填塞学问,了无干涉也。……自梁伯龙出,而始为工丽之滥觞。……盖其生嘉隆间,正七子雄长之会,崇尚华靡,弇州公以维桑之谊,盛为吹嘘,且其实于此道不深,以为词如是观止矣,而不知其非当行也。以故吴音一派,竟为剿袭靡词,如绣阁、罗帏、铜壶、银箭、黄莺、紫燕、浪蝶、狂蜂之类,启口即是,千篇一律;甚至使僻事、绘隐语……不惟曲家一种本色语抹尽无余,即人间一种真情话,埋没不露已。

既是这样,要这种东西不走衰运,事实上也就绝不可能了。

第六章　花部（清朝时期）

所谓雅部真正的命运，可以说到明末即止，但余响还是有的，所以在清代也还有昆曲的演出。自然，这只是元明剧曲的回光返照，它的衰运终不可挽回，垂死的挣扎归于徒然，自是意中事。在这里，论述清代的花部勃兴之前，不能不先提一提衰落期的雅部，大约是在道光时期，京都还有集秀班和集芳班。《梦华琐簿》说：

> 吴中旧有集秀班，其中皆梨园父老，切究南北曲，字字精审，识者叹其声容之妙，以为魏良辅、梁伯龙之传未坠，不屑与后生子弟争朝华夕秀，而过集秀班之门者，但觉夭桃郁李，斗妍竞艳，蒹葭倚玉，惟惭形秽矣！道光初，京师有仿此例者，合诸名辈为一部，曰集芳班，皆一时教师，故老大半四喜部中旧人，……都人士亦莫不延颈翘首，

争先听睹为快。登场之日，座上客常以千计，听者凝神摄虑，虽池中育育群鱼，寂然无敢哗者，盖有订约四五日不得与坐者矣。于时名誉声价，无过集芳班。不半载，集芳班子弟散尽，张乐于洞庭，鸟高翔，鱼深藏，又曰西子骇麇，岂诳语者。（《燕兰小谱》记有伶人自京师归，谋入集秀班，纳重贿始收之。论者或谓有志之士，或谓是监生捐孔目，居然翰林老先生矣。集秀班名重一时，即此可见。闻常熟蒋听松言，吴中集秀班，道光年间亦已散去矣。）

即使不是专唱昆腔的班子里，也还附带几出昆戏，如《侧帽余谭》云：

> 昆腔曲谱出自玉峰魏良辅，后遂盛行于苏，种种传奇，音律精细，豪贵妙选名伶扮演惟肖，遂尔轶类超群，京师自尚乱弹，昆部顿衰，惟三庆、四喜、春台三部带演，日只一二出，多至三出，更蔑以加，曲高和寡，大抵然也。

甚至前几年，还有仙霓社，在温州目前也还有两个专唱昆戏的同福班和品玉班，但命运已经决定，历史扬弃了它，这风流艳冶的"雅部"不得不沦亡了！在创作剧曲方面说，固然也不能例外，尤其因为太平天国革命运动发生以后，战乱使弦歌沉寂，民众的意识有了变更，强烈要求合于自己脾胃的娱乐艺术，而相反相成地，士大夫们因战乱失去了闲情逸致，再提不起雅兴来沉醉于哀丝豪竹了。魏龢也有类似于此种的感觉，故在《集成曲谱》序中说：

> 乾嘉而后，考据之学日进，作传奇者日鲜，然王梦楼、钮匪石犹以精于度曲闻，王仲瞿、舒铁云尚有杂剧之作，道咸以降，文人绝口不谈此事，昆曲遂日见陵替。重以发逆之乱，东南糜烂，弦歌阒寂，京师梨园改习楚歌、秦声以媚俗耳，于是昆曲益衰微矣。

不过魏氏是对雅声衰、俗乐兴，不胜感慨的。依我们看，倒是真正的戏剧艺术幸脱厄运，但这一期仍然还有《桃花扇》一类名作，虽说在好典雅重音律的文士们看来已不够格了，我们却以为它有不朽的价值。

总之，戏剧是演给大众看的，大众中雅士并不太多，尽管有人在慨叹风雅道丧，也无济于事。周明泰《道咸以来梨园系年小录》云：

道光二十年庚子，观剧道人著《极乐世界传奇》凡八十二折，皆十字句，自序于道光二十年九月十六日，署名曰惰园主人，序中有"戏至二簧陋矣！而吾谓非二簧陋，作之者陋也"，又有"今日二簧盛行，而雅驯者殊少"诸语，可见当日观戏人之心理。

其实，雅驯何尝是戏剧艺术的必要条件。往往求雅驯反失去原有的朴素，皮簧戏的佳处正在于此，而它的命运趋向隆盛，恐也因此。《侧帽余谭》说：

> 时下盛尚黄腔，黄腔起于湖北黄冈县，词意俚鄙，皆若辈随口诌成，不经文人笔墨，宜无当于大雅。其中亦具音节，使改窜稍为顺利，歌者转觉聱牙。

"随口诌成""不经文人笔墨""无当于大雅"，恰为皮簧戏的佳处，也正是余考愚《庶几堂今乐四十种》自序所说："坊本《缀白裘》所选多昆曲，久已风行海内，惟阳春白雪，赏雅而不能赏俗。兹刻原为劝喻愚蒙起见，皆系皮簧俗调，习之既易，听者亦入耳。"世上多愚蒙，风雅不起来，习之既易、听者亦入耳的戏剧自能风靡一代，而且也是历史的必然。

故我以为前期的衰落,是指戏剧专为帝王贵族士大夫阶层娱乐,已不为一般民众所有,失去演剧本身的意义。这一期要说它回复到戏剧之为戏剧的立场上来。

一切真正的艺术,该为大众所理解、所接受,昆曲已违反这基础条件,它的命运也就此决定了。到清乾隆年间,所谓各地的土戏,便应运起来夺取了昆腔的地位,这时的人将昆腔称为"雅部",其他均归入"花部"了。而那些有钱的盐商们就蓄养着两部的戏子,备随时娱乐,例如《扬州画舫录》就如是记载:

> 两淮盐务,例蓄花雅两部,以备大戏。雅部即昆腔,花部京腔、秦腔、弋阳腔、梆子腔、罗罗腔、二黄调,统谓之乱弹。

花部诸腔实际上不是新生出来的,有些腔调如弋阳腔,在昆腔未出世前就流行过的,在绝响时期有一支还保存在北方,以直隶的高阳为根据地,就变成高腔。还有其他腔也是明朝早已有了的。

《曲律》:"数十年来又有弋阳、义乌、青阳、乐平、徽州诸腔出。"魏良辅这话实足证明。花部诸腔大致有:

（一）弋阳腔　起自江西，到明嘉靖间绝响，后经谭纶根据海盐腔加以修改，复兴起。《金台残泪记》云："乱弹即弋阳腔，南方又谓下江调。"弋阳腔为乱弹之一种腔，并非乱弹即弋阳腔。温州本腔戏称和调，称班子为和调班或乱弹班，此种班亦以和调为主，兼演他腔戏，故总称乱弹班。《画舫录》亦以乱弹为花部之总称，似较确。

（二）高腔　出于直隶高阳，为弋阳之一支派，温州在民国十年尚有高腔班，演员年龄均已中年以上，现在全国恐无一专演高腔的班子。据云任何种班子和高腔班子在一处演出，必让高腔班子先开锣，大概因是腔早出，故示尊敬。如遇傀儡戏班，高腔班又让傀儡班先开锣，我幼时闻父老言如此。

（三）京腔　也是弋阳的一支流，弋阳入高阳为高腔，入京师而成京腔。

（四）二黄腔　起自湖北，初生于黄坡、黄冈二县，故名。《侧帽余谭》云："时下盛行黄腔，黄腔起于湖北黄冈县。"

（五）汉调　起自湖北，早于皮黄。

（六）秦腔　出自陕西，其源或更来自甘肃。《金台残泪记》云："《燕兰小谱》记：甘肃调即琴腔，又名秦腔，胡琴为主，月琴为副，工尺咿唔如语。此腔当乾隆末始蜀伶，后徽伶尽悉之，道光三年御史奏禁。"

（七）西皮　出自甘肃，但以出自湖北之说居多，前一说较可靠。《燕兰小谱》亦云："谓甘肃腔曰西皮调。"

（八）梆子腔　出处不明，据说为弋阳腔的咙吟调，一称梆子调，又称吹腔。

（九）山西梆子　此腔来源复杂，或系秦腔及勾腔混合而成，有人说秦腔传到京中才有山西梆子。《燕兰小谱》有："嘹亮京腔响遏云，勾音异曲不同工。"诗后《注》云："山西勾腔似昆曲，而音嘹亮，介乎京腔之间。"勾腔所用乐器和今山西梆子同，故断其颇有关联。

（十）乱弹　除为花部之总名外，有时指秦腔而言。《侧帽余谭》："乱弹中以青衫须生为最难，盖上等脚色唱处极多，非喉不能动听，若辈之充是色者，往往于五更黎明时，面壁引歌，啾啾云深处，东方未白，闻此声四起，远近响应，不知者几疑鬼啸。"恐即指此，因秦腔高亢故也。

以上十说可分为三系统：

（一）弋阳腔系统计有：弋阳腔、高腔、京腔、梆子腔（甚至可加入昆腔)。

(二)汉调系统计有:汉调、二黄(二黄变自汉调,合西皮称皮黄)。

(三)秦腔系统计有:秦腔、西皮、山西梆子、乱弹。

现在俗呼秦腔为梆子,以木梆为乐器,故名。据说来源极古,有说肇自战国燕人高渐离鼓瑟(击筑)于秦皇,慷慨悲歌,发源于陕西,流行于山西、河南各地。秦二世极嗜这腔调,所以有说各种戏班子所奉祖师爷均为老郎神,而秦腔班独奉二世,未知实否?而老郎神之说又不一,有谓系唐玄宗,有谓系后唐庄宗,有谓系一匹老狼。我曾有《说戏行祖师》专文论之,兹不再赘。

所谓花部勃兴,最初还是秦腔啰啰调弋阳腔占势力,乾隆初年出的《梦中缘传奇》序文中说:

> 长安(指京师)梨园盛……而所好惟秦腔、啰(啰啰调)、弋(弋阳腔),厌听吴骚(指昆腔),闻歌昆曲,辄哄然散去。

由这些话,可证明当时民众厌雅部,而爱花部的实情。皇帝脚下多贵族士大夫,已到这种地步,他处更必然地爱花部诸腔。在南方一带，尤其徽州的优伶称雄，徽班中虽也有他腔戏，但以徽调为主。清高宗南巡，就听过了南方的花部诸腔，大致很满意，到乾隆五十五年，徽班也就进京了。

> 《梦华琐簿》："三庆……乾隆五十五年庚戌，高宗八旬之万寿节，入都祝釐。时称三庆徽，是徽班之鼻祖。"

这祝釐不过是借口实乘机罢了。实则他们知道皇帝欢喜他们的演艺，就借此发展到京师去，居然在短期之间就盛起来。到嘉庆时，成立了五部，计三庆、四喜、和春、春台、三和等五个班子，当然名虽为徽班，优人的籍贯不一定全是徽州人，各处都有。在腔调方面，到京师后便起变化，收众腔之长，大家都学习他腔，如京腔、秦腔、昆腔了。这五班以四大班为最有名，且各有各的特长，据《金台残泪记》所载，大致是：

> 四徽班各擅胜场，四喜曰曲子，先辈风流，饩羊尚存，不为淫娃春牒应雅，世有周郎，能无三顾？古称清歌妙舞，又曰丝不如竹，竹不如肉，为其渐近自然故也，至今堂会终无以易之。三庆曰轴子，每日撒帘以后，公中人各奏尔能，所演皆新排近事，连日接演，博人叫好，全在乎此。所谓

巴人下里，举国和之，未能免俗，聊复尔尔，乐乐其所自生，亦乌可少？和春日把子，每日亭午必演《三国》《水浒》诸小说，名中轴子，工技击者各出其技，痀瘘、丈人、承蜩、弄丸、公孙大娘舞剑器，浑脱浏漓，顿挫发扬，蹈厉，总干山立，亦何可一日无此？春台日孩子，云里帝城，如锦绣万花谷，春日迟迟，万紫千红，都非凡艳，而春台则诸郎之夭夭，少好咸萃焉，奇花初胎，有心人固当以十万金铃护惜之。

当时各班除出演堂会外，就在戏园里演，据说"戏庄演剧必徽班，戏园之大者如广德楼、广和楼、庆乐园、三庆园，亦必以徽班为主，下列则徽班、小班、西班，相杂适均"。

这些戏剧能在清代大盛而特盛，自然有它的原因。一因高宗屡次南巡，调查民情，施政便得到政治的方法——刚柔兼施，不只戏剧，文学的灿烂期也被造成。二因商业资本愈发达，都市中需要娱乐的人也增多。三因士大夫阶层的变态心理发达，玩相公之风鼎盛，戏子利用士大夫的权威金钱，士大夫利用戏子的色艺。四因喜新厌旧为人之常情，况旧腔已不能娱人耳目。花部诸腔因此四种原因而盛，但戏剧艺术的价值，也因此减低。

尤其上列四点中的第三点，使神圣的艺术沦于下流无耻的地位，例如旧戏中的踩跷，原是一种技术。所谓跷功是值得演者苦学、观者欣赏的技艺，但演者观者都不着意于技艺，所以下流。一般说踩跷流行始于蜀伶魏三，结果如何？观此即明：

> 《燕兰小谱》："友人云京旦之装小脚者，昔时不过数出，举止每多瑟缩，自魏三擅名之后，无不以小脚登场，足挑目动，在在关情，且闻其媚人之状，若晋侯之梦与楚子搏焉。余曰：闻昔保和部有苏伶沈富官，容仪姣好，缠足如女子，但未知横陈否耶？"

这和目前一些坤伶以穿时装上台唱《纺棉花》《男女戏迷传》是同样的，简直是卖俏，并不是献艺。因此男伶就成为像姑，宋以前所谓"弄假妇人"，是指演员弄，也即是扮装之意。到了清朝则是士大夫和市井豪儿弄像姑了，演剧者的品格较之古代的巫，已一落千丈，至于和忘八同列！也正如《燕兰小谱》所说：

> 魏三，名长生，字婉卿，四川金堂人，伶中子都也。昔在双庆楼以《滚楼》一出，奔走豪儿，士大夫亦为心醉！

其他杂剧胄子，无非科诨诲淫之状，使京腔旧本置之高阁（按《金台残泪记》："《燕兰小谱》记京班旧多高腔，自魏长生来始变梆子腔，尽为淫靡。"那末此处所说"京腔旧本"当指高腔戏，同时魏三之梆子腔或非山西梆子，而是川梆子了），一时歌楼观者如堵，而六大班几无人过问，或至散去。……壬寅奉禁入班，其风始息……而王、刘诸人承风继起，亦沿习丑状，以趋时好，余谓魏三作俑，可称野狐教主，伤哉！

实则今之魏三多矣！那些劈纺专家，《男女戏迷传》里的艳旦，何尝不等而下之？清代倘也有现在这些坤伶，魏三之流则不能走红，这是魏三之流的幸运！当时的艳冶风流，确大有可观，《燕兰小谱》云："友人言近时豪客观剧必坐于下场门，以便与所欢眼色相勾也；而诸旦在园见有相知者，或送果点，或亲至问安，以为照应，少焉，歌管未终，已同车入酒楼矣。"又有诗为证云："飞眼皮科笑口开，渐看果点出歌台，下场门好无多地，购得冤头入座来。"剧院竟变成豪客勾女人、旦角勾冤大头的场所，戏剧艺术的身价如何不降低沦于万劫不复的地步！

可是，相反地戏剧演出因而增多，这一点事实，未可抹煞。这里,顺便谈一谈关于这方面的情形。在演出一点上说,清代自是超过前此的任何一代,不过这只限于几个大城市,农村的戏剧活动,恐只有一年比一年少下去。都市繁荣和农村破产是相对的,脱离土地生产而流入都市的人增多,都市的演剧事业也就跟着发达了。

清代京师戏庄或戏园极多,自因商业资本发达,都市繁荣,农村偏枯之故,各戏则在各戏园轮回演出,演出时则贴戏报以招徕生意。

> 《梦华琐簿》:"《都门竹枝词》云:'某日某园演某班,红黄条子贴通圉。'今日大书榜通衢名报条,曰:'某月日某部在某园演某戏,尚仍其旧俗,盖诸部赴各园皆有定期,大约四日或三日一易地,每月周而复始,有条不紊也。'"(原注:"广州城则每日梨园会馆悬牌云某日某班在某处。"咱们温州早年也如此。)

开演时间大都在下午一二时许,所演出数甚多,温州旧俗都只先打闹场,继以加官晋爵等,戏则前三出,后一正本。京都习俗似较多,《梦华琐簿》记之甚详,照抄如下:

《竹枝词》云,"双表对时刚未正,到来恰已过三通",此嘉庆间事也。余案红豆村樵《红楼梦传奇凡例》云:"丝竹之声哀,不可无金鼓以震荡之。"此言殊近理,今梨园登场日例有三轴子(《竹枝词注》云轴音纣),早轴子客皆未集,草草开场,继则三出散套,皆佳伶也。中轴子后一轴曰压轴子,以最佳者一人当之,后此则大轴子矣。大轴子皆全本新戏,分日接演,旬日乃毕。每日将开大轴子则鬼门换帘,豪客多于此时起身径去,此时散套已毕,诸伶无事,各归家梳掠熏衣,或假寐片时,以待豪客之召,故每至开大轴子时,车骑蹴蹋,人语腾沸,所谓"轴子刚开便套车,车中载得几枝花"者是也。贵游来者皆在中轴子之前,听三出散套,以中轴子片刻为应酬之候,有相识者彼此互入座周旋,至压轴子毕,鲜有留者,其徘徊不忍去者,大半市井贩车走卒,然全本首尾,惟若辈最能详之,盖往往转徙随入三四戏园,乐此不疲,必求知其始讫,亦殊不可少此种人也。今日开戏甚早,中即中轴子,不待未正,无为李小泉言:"嘉庆初年,开戏甚迟,散戏甚早,大轴子散后,别有清音小队,曰档子班,但赴第宅清唱,如打软包之例,不复赴园般演矣。"(京城旧日顿子房皆打软包赴人家,保定则班中诸伶亦打软包。)又近来诸部大轴子恒至日昳乃罢，惟四喜部日未高即散，犹是前辈风格。

一直到咸丰年间，徽班中出了安徽人程长庚，不只艺术高乎侪辈，而且在行政上也有能力，该班子的好班规差不多都是他立的。他是皮黄戏界的"大老板"，工老生戏唱做功夫，一时无匹。和他齐名的只有张二奎、余三胜二人，鼎足而三。但自乾隆至道光，相公风盛，所以人都捧旦脚；自长庚出，始把这恶劣风气稍变，此功不可灭没。继他后又有谭鑫培，也是位可推许的优人。然而小市民好艺术之心终究不及好色，所以后来仍以旦脚为重。

而清道光、咸丰以来的演剧递变情形，由周明泰的《清昇平署存档事例漫抄》序文所言，即可知其概略，兹摘录如下：

> ……自乾隆南巡之后，选江南伶工，招之入京，供奉内廷，名曰民籍学生，此例迄于嘉庆末年，未尝或改。尚有旗籍学生，盖取八旗子弟，教之乐歌，与民籍者统称外边学生，或简称外学；而南府太监则称内学。内学有大小之分，外学有头二三之别，其规模实远胜于后日之昇平署也。道光元年曾两次缩减外学名额，至七年改南府为昇平署，尽将民籍学生全数退回原籍，旗籍者发交本旗，于是

宫廷演戏尽由内监承差，而所演者若非旧日之昆、弋，与夫吉祥之例戏，陈陈相因，毫无精彩，如是者垂三十年。同时外间皮黄入京，四大徽班争奇斗胜，都人观听为之一变，习俗所趋，影响及于掖内。咸丰帝后又酷嗜俗乐，遂自十年三月重行挑选民籍学生进内演戏，并取都中名戏班角色之佳者，使之授其技于内监，而美其名曰教习，陆续添传至五十五名之多，而鼓笛随手筋斗人之数犹不与焉。至同治二年虽又经一度之停止，但随手筋斗人仍得留下当差，然以内监平日所习例戏，与外间所演者相较，优劣当然悬殊；虽曾有旨令内学新进太监学外，昆腔乱弹其不能一蹴而就，乃必然之理，而当时慈禧太后对于皮黄尤感特别之兴趣，使之赏鉴此种似是而非之戏剧，自不能满足其嗜欲，故不旋踵而前例又重开，时在光绪九年。所挑选者概称民籍教习，有时亦称外学，然与南府时之外学，其性质则迥然大异。自是以后，年有增益，迄于清末，教习随手之总数，殆逾百人矣。……是故慈禧太后之晚年，日以声歌自娱，实为宫闱演戏极盛之时期也。其演戏时刻，在嘉庆时，多半起于辰巳之交，迄于午未之顷，有时卯初开戏，及午而止。至道光时虽未曾公然延长演戏时刻，然新添帽儿排为变相之承应。又有戏法杂不闲，皆较正式演戏之时间为晚,且益加长,或在申初始登场,或至酉时始竣事。迨咸、同以后,又有坐腔清唱之举,往往自午后至戌始止。此例既开,遂成习惯,降及光绪之际,几于无一次承应不唱至戌初矣。而每次所演之戏,例有开场团场及轴子诸名称。开团场者,演于一日之首尾,皆宫廷独有之各样戏,或切岁时,或符庆典。轴子则演于中间,杂厕于群戏之列,而为整本之戏,自四出六出八出以至十余出不等,甚或连台数十本,多至二百四十出,如《昇平宝筏》《昭代箫韶》诸大传奇,皆每次只演一本,经年累月,始能演完。有时减去开场,即以轴子起首,或减去团场,而以轴子煞尾,皆变例也。

而我们根据《昇平署档案》,知道初期南府剧团及景山剧团的学生数达三千,年龄有自六龄至八九十岁者,到道光元年有减景山太监戏学额为一百二十八,嗣后准减勿准增之上谕。不过宫廷所演的戏目虽多,大致都是乏味的东西,所谓承应,原是"虚应故事",所以不外乎是些千篇一律的吉祥戏,尤其以连台大戏为多,如《劝善金科》《昇平宝筏》《昭代箫韶》《鼎峙春秋》《锋剑春秋》《三侠五义》《雁门关》《忠义传》《西异传》等,论规模宏大,当然是外间市民所见不到的。更如乾隆在热河行宫庆万寿节，当时演《西游记》，舞台有九筵之宽，三层，可以由演员上下升降；唐僧出场时，上下分九层，列坐三千余人，这个舞台之大，演员之多，不令中外古今人瞠目吗？然论艺术，则不及民间戏班所演的戏，而戏目也多，且各有各的精彩。道光四年庆升平班班主沈翠香所藏（即退庵居士所藏的一册旧戏目）的戏目达二百七十二出，大都流传至今尚盛演者，而且大都是通俗的皮黄，攫取群众的力量极大。兹录该戏目如下：

  《大财神》 《满床笏》 《氾水关》 《陈公计》
  《虎牢关》 《借赵云》 《盘河战》 《战濮阳》
  《夺小沛》 《白门楼》 《许田射鹿》《闻雷失箸》
  《马跳潭溪》《三顾茅庐》《博望坡》 《长坂坡》
  《舌战群儒》《临江会》 《群英会》 《借箭打盖》
  《祭东风》 《华容道》 《取南郡》 《取桂阳》
  《取长沙》 《柴桑口》 《拦江救主》《取雒城》
  《定军山》 《阳平关》 《瓦口关》 《葭萌关》
  《战冀城》 《战渭南》 《取成都》 《战合肥》
  《反西凉》 《甘露寺》 《凤凰台》 《伐东吴》
  《白帝城》 《安五路》 《渡泸江》 《凤鸣关》

《天水关》　《战街亭》　《葫芦峪》　《七星灯》
《战东兴》　《铁龙山》　《除三害》　《审刺客》
《桑园寄子》《双尽忠》　《孝感天》　《焚烟墩》
《清河桥》　《绝缨会》　《湘江会》　《海潮珠》
《黄金台》　《五雷阵》　《完璧归赵》《渑池会》
《樊城昭关》《鱼肠剑》　《庄周扇坟》《马蹄金》
《烧棉山》　《喜崇台》　《搜孤救孤》《度柏简》
《定华夷》　《攻潼关》　《青龙关》　《陈唐关》
《取荥阳》　《盗宗卷》　《监酒会》　《战蒲关》
《未央斩信》《取洛阳》　《云台观》　《草桥关》
《飞叉阵》　《闹昆阳》　《绑子上殿》《上天台》
《恶虎庄》　《探五阳》　《太行山》　《查关》
《临潼山》　《贾家楼》　《探登州》　《虹霓关》
《当锏卖马》《白璧关》　《断密涧》　《锁五龙》
《御果园》　《官门带》　《望儿楼》　《惊梦背楼》
《叫关小显》《让帅印》　《龙门阵》　《凤凰山》
《对袍访袍》《独木关》　《越虎城》　《淤泥河》
《摩天岭》　《汾河湾》　《闯山》　　《白良关》
《马上缘》　《三休》　　《芦花河》　《闹院河阳》
《举鼎观画》《九焰山》　《飞虎山》　《擒五虎》

《沙陀国》　《太平桥》　《困曹府》　《高平关》
《金桥华山》《打瓜园》　《风云会》　《打宝瑶》
《斩黄袍》　《下南唐》　《竹林记》　《喂药》
《下河东》　《龙虎斗》　《骂殿》　　《金沙滩》
《御状》　　《清官册》　《穆柯寨》　《赦子》
《九龙峪》　《二天门》　《青龙棍》　《打火棍》
《演火棍》　《孤鸾阵》　《破洪州》　《金莲会》
《太君辞朝》《双钉记》　《神虎报》　《血手印》
《琼林宴》　《双包案》　《铡判官》　《铡美案》
《三侠五义》《遇后》　　《打龙袍》　《打銮驾》
《花蝴蝶》　《乌盆记》　《铡包冕》　《京遇缘》
《烈火旗》　《延安关》　《昆仑关》　《祥云会》
《镇潭州》　《八大锤》　《挑华车》　《金兰会》
《五方阵》　《拿杨么》　《玉玲珑》　《娘子军》
《雄州关》　《潞安州》　《岳家庄》　《燕子山》
《请宋灵》　《胡迪骂阎》《曾头市》　《乌龙院》
《闹江州》　《闹江》　　《玉麒麟》　《翠云楼》
《翠屏山》　《巧连环》　《扈家庄》　《祝家庄》
《借圣威》　《收关胜》　《红桃山》　《神州擂》
《蔡家庄》　《青风寨》　《丁甲山》　《女三战》

《龙虎峪》　《庆顶珠》　《昊天关》　《艳阳楼》

《白水滩》　《通天犀》　《赵家楼》　《四郎探母》

《雁门关》　《杨七吃面》《萧后打围》《陈林抱盒》

《拷寇成玉》《登云山》　《三岔口》　《二龙山》

《泗州城》　《青风岭》　《迷魂岭》　《卧虎坡》

《武当山》　《青石山》　《朝金顶》　《百草山》

《蟠桃会》　《九世图》　《画春园》　《摇钱树》

《金沙洞》　《无底洞》　《盘丝洞》　《小天宫》

《黄河阵》　《混元盒》　《三教寺》　《飞波岛》

《黑沙洞》　《四美图》　《绿牡丹》　《四杰村》

《龙潭镇》　《武文华》　《豆尔墩》　《九龙杯》

《连环套》　《霸王庄》　《盗金牌》　《淮安府》

《普球山》　《落马湖》　《恶虎村》　《拿谢虎》

《殷家堡》　《双盗镖》　《虮蜡庙》　《左青龙》

《清烈图》　《江都县》　《河间府》　《洗浮山》

《五里碑》　《小东营》　《庆安澜》　《莲花塘》

《五人义》　《金钱豹》　《代父征》　《禹门关》

至于京师的戏班，则自乾隆朝起差不多代有增加，而且票房在后来也有出现了。到光绪朝，据六年重镌的《都门纪略》

所载，当时负盛名的大班子即有三庆班（和春班已在道光十三年报散）、春台班（此班在光绪二十六年也报散）、四喜班、嵩祝成、瑞胜和、双顺和、永胜奎等。据说其中瑞胜和原名全胜和，为纯粹梆子班，无二黄戏，旋由瑞和尚接办改名瑞胜和，后归杨香翠，复易名为宝胜和。当时各班均自有拿手腔戏，旧规昆、乱可同台，而徽、秦则绝不同台，到了花旦田际云（即响九霄）由沪返京，起组大玉成班，始创"两下锅"之例，尔后各腔均可同台唱戏了。同时田际云这人也算是清末戏剧界中比较有头脑的人，开"两下锅"例固是旧戏革新的初步，而他方对戏剧也还有点功劳。他于戊戌维新之际，以供奉内庭，出入禁闼，时和党人通消息，及变作，逃避之沪。光绪二十七年返京重建天乐园，并起小吉祥科班，宣统时所谓"新剧家"王钟声，就在天乐园演剧，致际云被言官奏参，告他勾通革命党，编演新戏，诋毁朝廷，因而被逮入狱，百日始释。入民国后，又组织正乐育化会及崇雅女科班授徒。在咸丰以前，职业剧人散漫无系统，同治中叶程长庚统领四大徽班，出而组织梨园公所，总算有了如现今的戏剧界协会似的组织。成立之初，首领只程长庚一人，称为"庙首"，后添到四人，如杨月楼、刘赶三、黄月三、田际云等人都任过此职，归内务府管辖。庙首四品顶戴，民国后这公会消灭，即由正乐育化会替代了。

民国以来,诸腔又走进了没落期,艺术价值日低,在内容上说,封建意识太浓,不合时代的需要,为时代所扬弃。现在是在挣扎之中,究其前途如何?未可卜知。

第七章　话剧（民国时期）

这一期，我认为是中国戏剧的新生期。欧洲的文艺复兴运动及法兰西大革命，使整个欧洲蜕卸了旧封建制度社会的躯壳，换上了壮丽的近代国家的新衣，推动政治文化以及一切进上了新的轨道。同样地，在中国，也有了辛亥革命和"五四"运动，使整个中国脱出了异族的三百年统治，露出了真正近代国家的面目，建立了新文化的基础。看起来已是万幸的了！事实却又不尽然。虽说中国历史的步伐较西欧的迟缓，这历史的奇迹是可以拉在一块比拟的。不过，我们遗憾的是西欧有了这两个"R"（Renaissance and Revolution），完全而彻底地扫清了自中世纪以来的封建制度，甚至人们脑子里的封建意识；而中国呢，谁敢保证也同样？可惜政治和文化虽已有了新生期，却因为先天的不足和后天的斫丧，以致过了而立而及不惑之年，还是未能茁壮，这比起西欧来，就显得瞠乎其后了！戏剧，也是文化的一部分，它在这新生期是怎样呢？这里，还得打头里说起。

第一次惊醒中国人的迷梦的，恐是鸦片战争（1840—1842）吧？独立国家的尊严，在这一次战争中开始失去，从此帝国主义者的刀锋不断地指向中国，所谓"英法联军""中法战争""中日战争""八国联军"等外患迭来了，然而中国人民也在这些创痛中觉醒了！终至于产生了辛亥革命（1911），推翻了腐败的清政府，建立了中华民国。

也许是新生的筹备工作做得不够罢，人民在异族专制的统治下窒息了近三百年，纵有一些春雷，也只能惊醒一部分的蛰虫，辛亥革命虽然完成了，封建的阴霾依然笼罩着全中国，这可是东方古国的奇迹。纵使经过了民国十六年的北伐，甚至经过了长期的抗日战争，封建意识何尝消灭净尽了？在这一种情形下，新文化运动不只筹备工作不够，后天尚被斫丧，四十年左右竟连基础还未巩固呢。我的话说得过分夸张吗？不！请看话剧之史的发展，当可分晓。

中国的话剧史，我是说真正的话剧史，该从中国的文艺复兴——"五四"运动（1919）稍前（1907）的春柳社成立数起，一直到现在，为期仅四十年许。然而这四十年来，按发展的内容来区划，已可划分为三期：

（一）自"五四"运动至"五卅"惨案爆发；

（二）自"五卅"惨案至"九一八"事变发生；

（三）自"九一八"事变至现阶段。

每一期都有它的中心任务：第一期以反封建为中心；第二期以反帝国主义为中心；第三期以反法西斯为中心。显然地，历史赋予每一期的中心任务没有错误，要是说有错误，都得归罪于执行工作的人，而且犯错误的以第一期的执行者为较大。在春秋责备贤者的原则下，就该说他们有不可饶恕的错误。这错误的造成，简单地说，是缺乏理论支持他们的实际行动，认识不够，因之理论毫无，跟着成就也特少。

固然，在1907年以前，中国境内已有类似今日话剧的东西演出，但那种东西，只好摈诸为综合艺术的话剧史之外，予以"不够格"三个字评价也尽可以。那一次演出，据说时间在1899年的圣诞节，地点在圣约翰书院。汪优游《我的俳优生活》：

> 开幕演的好像是西洋戏，我因为听不懂他们说些什么，没有感到什么兴趣。后来演的才是一出中国时装戏，剧名有些模糊了，好像是《官场丑史》一类名称，剧情却记得

很清楚，大致如下：

有一个目不识丁的乡下土财主，到城中缙绅家去拜寿，看见他们排场阔绰，弄得手足无措，闹了许多笑话，这是套的旧制《送亲演礼》。此人回家后便中了官迷，有一个蔑骗出来劝他纳粟捐官，居然捐得了一个知县。他于官场礼节一窍不通，由蔑骗指导他演习，这一场是套的昆曲《人兽关》中的演官。他遇见一条《老少换妻》的奇案，他无法判断。官司打到上司那里，结果他的官职被革，当场将袍套剥去，里面仍穿着乡下人的破衣服，戏就这样完了。

这出戏虽是三出旧戏凑成功的，里面的笑料却很多；观众又大半是演员的同学，因此一言一动，无不引得台下大开笑口，我看得更满意，因为当时戏园尚没有采取这种描写官场怪现状的材料入剧，觉得很是新鲜，我佩服之余，不禁起了羡慕之心！

这种幼稚的胡闹，竟使汪优游幼稚的心起羡慕，终于在1905年组织了交友社，就此种下了恶劣的种子。记得我在民国十九年（？）到新舞台看汪先生的《西游记》，到现在想起来还要恶心！中国话剧的不幸命运也就由这先天不足起，产生了文明戏而搅混了话剧之应该明朗的前途，这一次同乐会的胡闹，恐就是"作俑"。但话得说回来，倘使1907年在日本成立的春柳社诸君真能比交友社诸君高明，这个无聊浅薄的风气也许不致蔓延得那么广，而又那么久，所以说这个罪过还得共同担负。同时，他们之所以犯错误，固和他们不能以理论辅实践有关，然也另有基本的原因在。次殖民地的中国，经济落后，人民的教育也不发达，业余剧人因经济不能存在，进而职业化，既以之为职业，便不能不在经济上打算，需要配合低级趣味的观众的胃口。在这种场合，所谓爱美剧人（Amateur）不能不沦为演滑稽戏的职业剧人，文明新戏于焉流行于商业资本所集中的上海滩了。当然，文明新戏这一名称并不坏，一如布伞之被称为文明伞，手杖之被称为文明棍，由外洋传来的玩意儿，都冠以文明二字为标记，也未可厚非。

洪深《从中国的新剧说到话剧》中说：

> 在第三个意义的"新戏"名词上面，加上了"文明"两个字，成为"文明新戏"，不知何人为首作的事，但原先决不是恶意的。但是否为了这类的戏，是从欧、美、日本等文明国家介绍来的？或是因为这类戏已经脱离了旧戏中有人目为"非人"的动作、语调及"野蛮"的格式，成法的束缚。或是为了演这类戏的人，大半受过教育，有知

识，有思想，而且很诚挚的，存心要唤醒社会，改良人生，不像大多数唱北戏的，不识字，没有教育，没有知识，粗暴，流氓化，甚而是卑鄙下作的。不论什么动机，"文明"两个字，总是恭维的意思，而且在民国以前，就可以听到这个名词的。及至辛亥革命成功之后，在日本的春柳社回来了，在上海演出，大为观众称道。于是同时新组织的表演文明戏团体，乃如风起云涌。

要是说错误，还是在他们后来演剧的草率态度和剧本内容的无价值，对于这，洪深也有简括的说明：

> 所谓文明戏是怎样一种东西呢？（一）从来没有一部编写完全的剧本，只将一张很简单的幕表，贴在后台上场处。（二）有时这张幕表也不肯郑重遵守。（三）绝对不排练，不试演，不充分预备的。（四）有时演员上场，甚至连全剧的情节，还不大清楚。（五）演员在外面，过了很放荡的生活，到台上时，疲倦，想瞌睡，没有精神。（六）新进的演员未受教育，亦无大志，目的只在混饭吃。（七）没有艺术的目的，自好者仅知保全饭碗；不良者欲借戏为工具，以获得不正当的出名。（八）即有要好努力的演员，

也只能自顾自,无从使全部改善。(九)布景、道具、灯光、编剧等,不顾事实,不计情理。

这种随便儿戏的作风,就害苦了新戏剧艺术。其实,在西洋并不是绝对没有类似的东西,只是并没有像中国的文明新戏那样地过分胡闹,低级而流毒无穷,至于搅混了剧坛而使一般浅识者辨别不清。我们知道意大利就有所谓即兴喜剧(Commedia dell'Arté),这个名词,也就是指既没有剧本,而又随编随演的意思。它是国民戏剧,常用假面,故也被通称为假面剧(Masque),在意大利流行了几百年,尤其是十六、十七世纪最盛,处理方法虽也很随便,比起中国的文明新戏来却还慎重点。大致是预先选好了题材,派定了角色,剧中情节的安排及剧中人物的关系,都先定下了大纲,甚至分幕分场及剧情的转变等,都先有一个通盘的计划,然后根据这大纲(Scenario)演出,除了此外,一切都靠演员的才能和机智去随机应变地加以润饰。据门戚司(Manzis)说是这样:

> 演员必须找到适当的字来使观众流泪或发笑,必须把握住其他演员的科诨而对答如流,对话必须像赛球或斗剑一样,脚来拳去地不能中断。

这样，演员非有特别才能和舞台经验不可，欧洲之有职业演员便由此始。这种即兴剧在情节上固多变化，内容大都无甚可取，不过插科打诨，以无理取闹、耍把戏、显绝技，脱出了戏剧艺术的常轨。在欧洲人的眼里，并没有使它和高尚的真正的戏剧艺术混淆，所以他们后来的话剧也没有受到伤害；在中国则不然，迄今还有很多人对话剧和文明新戏，辨别未清。其实话剧和文明戏迥然不同，前者是艺术的，严肃的，有组织的；后者是非艺术的，胡闹的，无组织的。初期的文明戏已极无聊之能事！欧阳予倩曾说：

> 至于其他的文明新戏，虽然大体相似，精神完全不同；它是用日本"新派"的底子，加以中国旧戏的办法混合一处，分幕务求明显，所以不多用暗场，每幕之间又有幕外。无理滑稽异常之多，几乎每个戏里都有一个滑稽仆人，梳着一根红绳扎着的小辫子，用铁丝藏在里面，弄得弯弯曲曲绕在脑后，一出台便把头一点，那根辫子就在脑后乱动起来，引得台下大笑。往往一家遭了惨祸，主人痛哭的时候，这种仆人出来一跳，或是怪哭几声，台下悲悯的情感完全送到九霄云外。

到了后来，真是每况愈下，越弄越低级，而他们的命运也就不可挽救了，虽说现在也还有些文明戏班在游艺场里谋生，前途是绝无了，历史会扬弃了这些渣滓的！

有一天听说青年会开什么赈灾游艺会，我和几个同学去玩，末了一个节目是《茶花女》，共两幕。那演亚猛的，是学政治的唐肯君（常州人）；演亚猛父亲的，是美术学校西洋画科的曾延年（曾君字孝谷，号存吴，成都人，诗文字画都有可观，目下还在成都办市政报）；饰配角的姓孙，北平人，是个很漂亮而英文说得很流利的小伙子。至于那饰茶花女的，是早年在西湖师范学校教授美术和音乐的先生，以后在C寺出家的弘一大师。大师天津人，姓李名岸，又名哀，号叔同，小字息霜，他和曾君是好朋友，又是同学。……

这一回的表演，可说是中国人演话剧最初的一次，我当时所受的刺激最深。我在北平时本曾读过《茶花女》译本,这戏虽然只演亚猛的父亲去访马克和马克临终的两幕，内容曲折，我非常地明白。当时我很惊奇，戏剧原来有这样一个办法！可是我心里想，倘若叫我去演那女角，必然不会输于那位李先生。我又想他们都是大学和专门学校的学生，他们演戏受人家的欢迎，我又何尝不能演？于是我很想接近那般演戏的人，我向人打听，才知道他们有个社，名叫春柳。

这是春柳社在国外的尝试，还不能说和国内有多大的关系。不久，春柳社的社员相继归国，展开新剧运动，如任天知组织的春阳社、通鉴学校（1908）、进化团（1910），陆镜若组织新剧同志会（1912），又办了春柳剧场，配合上1919年的新文学运动，这个戏剧运动也就大大地展开，因为它们的本质很少有不同，同时都为当时新兴民族资本的知识分子所领导，又同样地反旧礼教、反旧封建制，提倡个性解放、科学和民主等的革命要求，从而新戏剧运动便成为新文化运动的一环，它的任务就是推翻旧戏，创造新剧。傅斯年在《戏剧改良面面观》一文中所说的可做此点的注解。他说：

　　再把改良戏剧，当作社会问题，讨论一番，旧社会的穷凶极恶，更是无可讳言。旧戏是旧社会的照相，也不消说；当今之时，总要有创造新社会的戏剧，不当保持旧社会创造的戏剧。……使得中国人有贯彻的觉悟，总要借重戏剧的力量；所以旧戏不能不推翻，新戏不能不创造。换一句话来说，旧社会的教育机关，不能不推翻；新的社会的急先锋，不能不创造。

运动是展开了，但毕竟止于点，谈不到线和面。也许因为中国土地太广袤，都市虽繁荣，农村偏枯得厉害，交通欠发达，教育不普及，有了这许多原因，新戏剧运动也罢，新文化运动也罢，只能在北平、上海以及几个大都市里起些狂风暴雨，农村始终未被波及，因此如果在政治经济的情势上没有新的变动，这个运动的中心任务也不会大变的。我所说第一期的反封建的中心任务，所以一直继续到民国十四年的"五卅"惨案前夜。

终于暴风雨来了！世界帝国主义者们不会有一日忘怀中国这一块肥肉，"五卅"惨案终究爆发，在风暴侵到中国的土地时，话剧运动也自动地进入了第二期。这一期，依我说，在时间上直延到"九一八"的东北事变前后。在事件上包括太多了，如"五卅"惨案，香港大罢工，国民党改组北伐，成功后清党，"一·二八"上海事变，"九一八"东北事变等。在任务上，反封建固迄今尚附带地存在，但中心任务当然集中于反帝国主义了。

话剧运动在这一期中的成就自然较大，因为有了三个大据点：(1)熊佛西主持北平艺专戏剧系;(2)田汉主持上海南国艺术院;(3)欧阳予倩主持广东戏剧研究所。同时,他们鉴于前车的覆辙而有所警惕,不仅以模仿欧美或日本为满足,想怎样获得理论,又怎样把理论付诸实践,感觉到一种运动,本身没有坚固的基础,从事者没有深刻的认识,又没有严密的组织,这样的阵容是最容易崩溃的,一旦遇到了政治经济上的阻力,再也支持不了自身的动摇,于是没落的没落,消沉的消沉,整个运动至于停顿。在这种事实的教训下,他们自然而然地都知道一个运动不是只凭借一股血气之勇可以成功的,必须有高深的修养、正确的理论、迈往的志气、众多的干才,具备此四者,然后集中从事工作的实践。固然他们仍未能百分之百地做到,这个倾向却确实有了,从而艺专系在北,南国系在南,确有了相当的收获,这功劳是不可磨灭的!

剧本的产生,也是这一期比较进步且比较多的,知识青年读剧的风气也被南国系养成,田汉的《顾正红之死》《湖上悲剧》《苏州夜话》《扫射》《乱钟》《战友》《洪水》《梅雨》《暴风雨中七女性》,欧阳予倩的《潘金莲》《同住三家人》,洪深的《五奎桥》,袁牧之的《一个女人和一条狗》,笔者的《C夫人肖像》《饥饿线》,陈鲤庭的《放下你的鞭子》《谁是朋友》等,这里所举,不过是"九一八"前后在舞台上热演的剧本罢了。曹禺的《雷雨》《日出》等也是这一期产生的,全国产生脚本的总数想恐不下五十个。这一期戏剧的周刊、月刊也有好几种,戏剧理论的单行本也有一些,用这些学术上研究的成果,配合着行动,从事者不止对文艺的认识较第一期为深刻,即政治认识也提高了。尤其在"九一八"前后,据笔者所知,在上海一带的剧运工作者都有正确的中心思想,高度的政治认识,所以也有了毫不儿戏的严肃的态度,步调一致的坚强的行动。倘夸张点说,下一期如没有这一期磨炼和造就,到"七七"以后的抗日战争剧运的成就,恐不会如此优异吧!因为优良的传统,是前一期开始建立的,人才也大都是前一期受苦难洗练出来的,我始终是这样相信着,甚至在剧本的创作方式上,也有许多是这一期的发明。譬如说,抗日战争期流行的街头剧,那时虽没有这一个名称,当时在穷困置不起布景的条件下,创作了不用布景,在台上演出也可和观众打成一片的剧本,如陈鲤庭的《放下你的鞭子》及《谁是朋友》(后者已失去,据说当时在山东一带演出剧名叫《独轮车》);又因为东北风云紧张,为要发挥突击宣传的功效,临时拿新闻做材料写短剧,如田汉的《一九三三狂舞曲》,无名氏的《山海关失守》,笔者的《最摩登的女性》等,这个方法被抗日战争期沿用而有了所谓活报剧。

文豪歌德（Goethe）曾说："每一个人是一国的公民，同时也是一时代的公民。"剧人是一时代的公民，而且他是有文化修养的人，他的思想，他的行动，往往比一般人先走一步，他决不会诿卸时代所赋予的使命。虽说"九一八"事变发生，政府是那么软弱，主张不抵抗；可是剧人们敢于违反政府的主张而喊出反帝抗日，因之张学良不幸成为当时舞台上的被嘲笑挨痛骂的人物，突击工作中也就有了《张学良打高尔夫》一剧，不过在政府的意志和人民的意志对立的时候，为时代的公民——剧人们便成为衮衮诸公心目中的罪人了。自然，他们还是甘心受苦难，继续狂喊出："东北是我们的！"夏衍笔下的陆宪揆（《戏剧春秋》中人物），就是当时剧人们的一个代表。不消说，历史的必然，谁能压灭得了？到了"七七"，政府还是跟了人民的意志走，先前呼喊反帝抗日的罪人依然是时代的公民，时代的先觉者，这个教训是我们永远不会忘记的！

这一期，在剧团方面说，最努力工作的，先头当然推"南国剧社"，他们做了拓荒的工作，不幸，不久就散了！"辛酉剧社"继续着拓荒，接下"艺术剧社""大道剧社"树立新的旗帜，开始了新的方向，到"九一八"的前夕，"春秋剧社""骆驼剧社""三三剧社"等继承了前者的路线而工作。在这时，尤其值得大家记忆的是"中国戏剧家联盟"的组成，支持了全中国新的戏剧运动。

一直到1936年,演剧界提出了"国防戏剧"的口号,而演剧活动已不止于点,也有了线和面的展开,全国各地都有了剧运。从此剧运进入了第三期,矛头指向了反法西斯。

"七七"事变爆发,"八一三"的炮声响了,中国人民一致地怒吼了,戏剧运动也随之蓬勃地展开了。在过去,并没有百分之百地完成了统一阵线,至少如新和旧的不联系,新的内部还有左和右的对立,但在全国抗日战争的新形势到来后,这些自然在大前提下消灭了,完成了新的团结。以在上海蓬莱大剧院演出《保卫卢沟桥》为起点,十多队的"上海救亡演剧队"编成而至于出发到各地区工作,直到"中华全国戏剧界抗敌协会"的组成。现把它的宣言摘录在此,代我说明这一番团结的情况:

> 在首都失陷,华中危迫的今日,集合在武汉的全国戏剧界同人感于共同的要求,有中华全国戏剧界抗敌协会之组织。……在这样盛大的开始,敢举数点告我全国同志:
> 第一,我们的团结是为着抗敌。中国对日寇抗战已进到最危险的阶段。非使每一民众了然于抗战意义,挺身而起,以其一切贡献于国家,不足以突破这一危险。而对于全国广大民众作抗敌宣传,其最有效的武器,无疑是戏

剧——各种各样的戏剧。因此动员全国戏剧界人士，奋发其热诚与天才，为伟大壮烈的民族战争服务，实为当务之急。我们全国戏剧工作者应迅速通过戏剧对广大工人、农民、小市民及学生群众作援助抗战参加抗战的号召，应鼓励前线的将士奋勇杀敌，应予后方伤兵与难民以充分之安慰与指示。通过我们各种各样的形式，将对于壮烈牺牲的将士和队伍以最大的褒扬。对于每一汉奸、敌探和民族败类，以无情的揭破。这些是我们每一抗敌剧人，须臾不忘的主要任务。

第二，只有抗敌使我们团结。过去中国戏剧界也和其他文化部门一样，有着种种政治的、职业的、地域的分派，甚至同一团体之间，仍不免有无原则的纠纷和隔绝，常常会使我们宝贵的精力，浪费在第二义的斗争，这实在是可戒的事。今日的中国，不怕敌人的深入，而怕的是民族内部的团结发生动摇；同样，今日的中国戏剧艺术，不怕不能发挥伟大的抗敌力量，而怕的是这一团结不能充分巩固。在这样的局面，我们岂能再有任何门户之见？派别之争？在敌人眼中，京派海派同为亡国之音，在朝在野同在屠杀之列。因此，我们不能不要求我国有血性、有觉悟的戏剧界人士，捐除一切成见，巩固这一超派系、超职业、超地域的团结。

同时,民国二十七年的春天,军事委员会政治部成立了第三厅,郭沫若任厅长,田汉任艺术宣传处处长,洪深任戏剧科科长,从上海出发的十多个"救亡剧队",除中途解散的以外,有好几队相继到了武汉,各地的剧队也有些到武汉来。尤其值得提一笔的,从难民收容所中产生的孩子剧团,都由政治部收编,一共成立了十个抗敌剧队,还加一个孩子剧团,在保护大武汉的前夕都纷纷出发到各战区工作了。

这些团队,可以说坚强无比,受尽了磨难,经历了无限的艰辛,成为铁铸的队伍,巡回过多少战地和农村,到现在,还保持着抗宣剧队的荣名在工作着。他们,深知道自己是时代的公民,他们所肩负的不只是一国一族赋予的任命,他们敢于对时代负荷了巨大的责任!

自然,不限于这十多个团队,全中国无数的剧团都一样,在全中国各地区人民大众的面前,展开了工作。这里我借用葛一虹在《抗战以来的中国戏剧》一文中的一段话,作为这一期情形简括的说明吧。

> 自都市移向乡村——这是中国新演剧运动的大众化的

真正开始。这是一个使今日的新演剧运动为之改观的基本因素。在过去，参加新演剧运动者是少数的知识分子；在过去，观众群是市民阶层，而在大众化的实践之下，无论是演剧工作者，或是他们的对象观众，由于现实情势的要求，扩大到了广大群众。

这里，有两个统计数字，据调查所得，参加在抗日战争中的演剧工作者总的数量达十五万人。在山西的东南部的戏剧界抗敌协会晋东南分会，共辖有五百个演剧集团。从这两个数字看来，目前中国的新演剧的确是深入到民间的了。现在，在每一个师部里面，都有着演剧团的组织，每一个学校里，也都有演剧的活动。此外，每一县墟，每一乡镇，也几乎如此。而这些演剧活动的参与者，除知识分子之外，包括了社会上的各阶层，工人、农民、士兵、职业界的分子等等。其中，特别令人感有兴趣的，是这样两个演剧集团，一是孩子剧团，一是老太婆剧团。

孩子剧团的分子，原来都是流亡中的儿童，最大的年龄不过十五岁，最小的只七八岁。敌人的炮火毁灭了他们的家庭和学校，他们失去了他们的保护者，便流落在难民收容所里面。

他们的坦白的心是永远燃烧着仇恨的火焰的。开始是三五聚在一起,做一些救亡工作。后来当国军自上海撤退,他们便组织了一个团体从上海出发,辗转南北战场,跋涉数万里的征程,沿路通过演剧工作来把他们的呼声传达给万千人民。他们的艺术和政治上的领导者,是他们自己的年轻的伙伴。他们自己编写剧本,他们自己从事导演。他们是在炮火与苦难中成长起来的。

关于老太婆剧团,曾经有过这样的报道:

老太婆剧团的声名,震荡着河南偃师县的每个乡村,老太婆剧团一共有十一位团员,没有一个知识妇女,都是乡间吃斋念佛的老太婆和农妇。她们在一块的时候像姊妹一样。她们的工作谁能做就谁去做,没有什么组织,也没有什么分工,但大家都很热心,没有一个人偷懒。

她们用的是土话,表情深刻,颇使老百姓感动。

她们的剧本,是按照实际生活集体创作的。因为她们不识字,剧本不能用文字写出来,都是你说一句,我说一句凑成。她们的歌咏,大部分用过去念佛的调子,换上抗日救国的内容,但现在新的救亡歌曲,也在她们嘴边流行着了。

在抗日战争期的战地和后方的剧运之蓬勃是空前的；可是我们不能忘记孤岛的上海，他们在苦难中依然挣扎奋斗，八年中的成就也大有可观。顾仲彝曾有一专文发表，于此不赘引，希读者自己去参考。

抗日战争总算托福胜利了，当时剧人们都有着美丽的梦想，但在所谓抗日战争胜利之后，几年来，话剧运动和我们在抗日战争时所期的相反，不过尽管环境是如何的险恶，我相信我们是会苦斗下去的；然而，不能不教我想起了蒲鲁奈谛（Brunetiere）的话来，他说：

> 当一个伟大的民族的意志高扬起来，在其民族的紧要关头，我们常看见它的戏剧艺术也达到它发展的最高点，而产生出它的杰作。

的确，历史的事实告诉我们是如此。希腊为反抗波斯的侵略，那时候希腊的民族意识最高扬，从而产生了悲剧，完成了民主政治的贝里克斯（Pericles，495？—429 B.C.）治下的文艺黄金时代；在英国还不是一样？当英国击败了西班牙的无敌舰队（Amada）的时期，伊利莎白女王（Elizabeth，1558—1603）治下的莎士比亚（W. Shakespeare）的时代出现。然而，在中国呢？低气压掐死了一切，夫复何言！夫复何言！不过，剧人们依然有艰苦奋斗冲破这低气压的雄心和勇气。历史的轮子不会倒退，民主的时代潮流也无法抗拒，光明爽朗的前途终会走到的，此刻我暂且结束了这一章的叙述。

后　语

原来计划，在后语中谈谈话剧的展望和旧剧的改良。现在，不能有所论述了，一因字数已够限度，二因自己并无高见，论起来也是多余，藏点拙还不失为知趣，尤其是改良旧戏，还在刚开始的时期，成败难论。

旧戏为时代所扬弃，但它的生命还有一丝延续的希望。我个人的看法，认为这希望虽可由改良其剧本内容及演出方法达到，不过所达到的恐仍止于延续其已趋没落的生命而已，倘企图使它回复到隆盛期那样压倒一切是不大可能的；同时，企图仅仅由改良而蜕变建立起中国民族独立的新歌剧，恐更困难吧。

然而，旧剧确有其好处，确需要接受和扬弃兼顾地改良，惟目前这种以话剧方式来改良它，未必能办到存其优点而弃其劣点的功效。至于创造新歌剧，其成功期该在新音乐创建成功之后。固然，新音乐也须以旧音乐为基础，一如新歌剧以旧歌剧为基础，真正的脱胎换骨之期，不是不可期，为期尚远罢了。这自然赖人力，前途是有的，这就得看改良旧剧的诸先生的魄力和毅力了。

我想，懂得中国在政治上的革命之弯弯曲曲的历程的人，一定了然于中国戏剧运动的来龙去脉，用不着笔者废话。中国的戏剧运动，不限于我们身历其境的人，即便旁观者，只要他有清醒的头脑，就会明白它确和政治革命紧密联系。我敢说一句：中国戏剧运动的最后的成就，也即是中国人民大众所期望的成就。风雨如晦，鸡鸣不已，大家努力争取所期的成就吧！

1948年春天于上海

《中国戏剧简史》版本一览

1. （上海）商务印书馆，1949年7月初版，1950年9月再版

2. （香港）商务印书馆，1964年1月重版，1965年8月第二次印

3. （台湾）兰灯文化事业公司，1987年9月初版，1990年重印

4. 广东高等教育出版社，据（上海）商务印书馆1950年9月再版本，收入《董每戡文集》（上卷），1999年8月第一版

5. （长沙）岳麓书社，据（上海）商务印书馆1950年9月再版本，收入《董每戡集》（第一卷），2011年5月第一版

6. 本版据（长沙）岳麓书社2011年5月版《董每戡集》，并校订文字，核对引文

国家新闻出版广电总局
首届向全国推荐中华优秀传统文化普及图书

大家小书书目

国学救亡讲演录	章太炎 著　蒙木 编
门外文谈	鲁迅 著
经典常谈	朱自清 著
语言与文化	罗常培 著
习坎庸言校正	罗庸 著　杜志勇 校注
鸭池十讲（增订本）	罗庸 著　杜志勇 编订
古代汉语常识	王力 著
国学概论新编	谭正璧 编著
文言尺牍入门	谭正璧 著
日用交谊尺牍	谭正璧 著
敦煌学概论	姜亮夫 著
训诂简论	陆宗达 著
金石丛话	施蛰存 著
常识	周有光 著　叶芳 编
文言津逮	张中行 著
经学常谈	屈守元 著
国学讲演录	程应镠 著
英语学习	李赋宁 著
中国字典史略	刘叶秋 著
语文修养	刘叶秋 著
笔祸史谈丛	黄裳 著
古典目录学浅说	来新夏 著
闲谈写对联	白化文 著
汉字知识	郭锡良 著
怎样使用标点符号（增订本）	苏培成 著
汉字构型学讲座	王宁 著

诗境浅说	俞陛云 著	
唐五代词境浅说	俞陛云 著	
北宋词境浅说	俞陛云 著	
南宋词境浅说	俞陛云 著	
人间词话新注	王国维 著	滕咸惠 校注
苏辛词说	顾随 著	陈均 校
诗论	朱光潜 著	
唐五代两宋词史稿	郑振铎 著	
唐诗杂论	闻一多 著	
诗词格律概要	王力 著	
唐宋词欣赏	夏承焘 著	
槐屋古诗说	俞平伯 著	
词学十讲	龙榆生 著	
词曲概论	龙榆生 著	
唐宋词格律	龙榆生 著	
楚辞讲录	姜亮夫 著	
读词偶记	詹安泰 著	
中国古典诗歌讲稿	浦江清 著	
	浦汉明 彭书麟 整理	
唐人绝句启蒙	李霁野 著	
唐宋词启蒙	李霁野 著	
唐诗研究	胡云翼 著	
风诗心赏	萧涤非 著	萧光乾 萧海川 编
人民诗人杜甫	萧涤非 著	萧光乾 萧海川 编
唐宋词概说	吴世昌 著	
宋词赏析	沈祖棻 著	
唐人七绝诗浅释	沈祖棻 著	
道教徒的诗人李白及其痛苦	李长之 著	
英美现代诗谈	王佐良 著	董伯韬 编
闲坐说诗经	金性尧 著	
陶渊明批评	萧望卿 著	

古典诗文述略	吴小如 著
诗的魅力	
——郑敏谈外国诗歌	郑 敏 著
新诗与传统	郑 敏 著
一诗一世界	邵燕祥 著
舒芜说诗	舒 芜 著
名篇词例选说	叶嘉莹 著
汉魏六朝诗简说	王运熙 著 董伯韬 编
唐诗纵横谈	周勋初 著
楚辞讲座	汤炳正 著
	汤序波 汤文瑞 整理
好诗不厌百回读	袁行霈 著
山水有清音	
——古代山水田园诗鉴要	葛晓音 著
红楼梦考证	胡 适 著
《水浒传》考证	胡 适 著
《水浒传》与中国社会	萨孟武 著
《西游记》与中国古代政治	萨孟武 著
《红楼梦》与中国旧家庭	萨孟武 著
《金瓶梅》人物	孟 超 著 张光宇 绘
水泊梁山英雄谱	孟 超 著 张光宇 绘
水浒五论	聂绀弩 著
《三国演义》试论	董每戡 著
《红楼梦》的艺术生命	吴组缃 著 刘勇强 编
《红楼梦》探源	吴世昌 著
《西游记》漫话	林 庚 著
史诗《红楼梦》	何其芳 著
	王叔晖 图 蒙 木 编
细说红楼	周绍良 著
红楼小讲	周汝昌 著 周伦玲 整理

曹雪芹的故事	周汝昌 著	周伦玲 整理
古典小说漫稿	吴小如 著	
三生石上旧精魂		
——中国古代小说与宗教	白化文 著	
《金瓶梅》十二讲	宁宗一 著	
中国古典小说十五讲	宁宗一 著	
古体小说论要	程毅中 著	
近体小说论要	程毅中 著	
《聊斋志异》面面观	马振方 著	
《儒林外史》简说	何满子 著	
我的杂学	周作人 著	张丽华 编
写作常谈	叶圣陶 著	
中国骈文概论	瞿兑之 著	
谈修养	朱光潜 著	
给青年的十二封信	朱光潜 著	
论雅俗共赏	朱自清 著	
文学概论讲义	老舍 著	
中国文学史导论	罗庸 著	杜志勇 辑校
给少男少女	李霁野 著	
古典文学略述	王季思 著	王兆凯 编
古典戏曲略说	王季思 著	王兆凯 编
鲁迅批判	李长之 著	
唐代进士行卷与文学	程千帆 著	
说八股	启功 张中行 金克木 著	
译余偶拾	杨宪益 著	
文学漫识	杨宪益 著	
三国谈心录	金性尧 著	
夜阑话韩柳	金性尧 著	
漫谈西方文学	李赋宁 著	
历代笔记概述	刘叶秋 著	

周作人概观	舒 芜 著	
古代文学入门	王运熙 著	董伯韬 编
有琴一张	资中筠 著	
中国文化与世界文化	乐黛云 著	
新文学小讲	严家炎 著	
回归,还是出发	高尔泰 著	
文学的阅读	洪子诚 著	
中国文学1949—1989	洪子诚 著	
鲁迅作品细读	钱理群 著	
中国戏曲	么书仪 著	
元曲十题	么书仪 著	
唐宋八大家 ——古代散文的典范	葛晓音 选译	
辛亥革命亲历记	吴玉章 著	
中国历史讲话	熊十力 著	
中国史学入门	顾颉刚 著	何启君 整理
秦汉的方士与儒生	顾颉刚 著	
三国史话	吕思勉 著	
史学要论	李大钊 著	
中国近代史	蒋廷黻 著	
民族与古代中国史	傅斯年 著	
五谷史话	万国鼎 著	徐定懿 编
民族文话	郑振铎 著	
史料与史学	翦伯赞 著	
秦汉史九讲	翦伯赞 著	
唐代社会概略	黄现璠 著	
清史简述	郑天挺 著	
两汉社会生活概述	谢国桢 著	
中国文化与中国的兵	雷海宗 著	
元史讲座	韩儒林 著	

魏晋南北朝史稿	贺昌群	著
汉唐精神	贺昌群	著
海上丝路与文化交流	常任侠	著
中国史纲	张荫麟	著
两宋史纲	张荫麟	著
北宋政治改革家王安石	邓广铭	著
从紫禁城到故宫 ——营建、艺术、史事	单士元	著
春秋史	童书业	著
明史简述	吴晗	著
朱元璋传	吴晗	著
明朝开国史	吴晗	著
旧史新谈	吴晗 著 习之 编	
史学遗产六讲	白寿彝	著
先秦思想讲话	杨向奎	著
司马迁之人格与风格	李长之	著
历史人物	郭沫若	著
屈原研究（增订本）	郭沫若	著
考古寻根记	苏秉琦	著
舆地勾稽六十年	谭其骧	著
魏晋南北朝隋唐史	唐长孺	著
秦汉史略	何兹全	著
魏晋南北朝史略	何兹全	著
司马迁	季镇淮	著
唐王朝的崛起与兴盛	汪篯	著
南北朝史话	程应镠	著
二千年间	胡绳	著
论三国人物	方诗铭	著
辽代史话	陈述	著
考古发现与中西文化交流	宿白	著
清史三百年	戴逸	著

清史寻踪	戴逸 著		
走出中国近代史	章开沅 著		
中国古代政治文明讲略	张传玺 著		
艺术、神话与祭祀	张光直 著		
	刘静 乌鲁木加甫 译		
中国古代衣食住行	许嘉璐 著		
辽夏金元小史	邱树森 著		
中国古代史学十讲	瞿林东 著		
历代官制概述	瞿宣颖 著		

宾虹论画	黄宾虹 著		
中国绘画史	陈师曾 著		
和青年朋友谈书法	沈尹默 著		
中国画法研究	吕凤子 著		
桥梁史话	茅以升 著		
中国戏剧史讲座	周贻白 著		
中国戏剧简史	董每戡 著		
西洋戏剧简史	董每戡 著		
俞平伯说昆曲	俞平伯 著	陈均 编	
新建筑与流派	童寯 著		
论园	童寯 著		
拙匠随笔	梁思成 著	林洙 编	
中国建筑艺术	梁思成 著	林洙 编	
沈从文讲文物	沈从文 著	王风 编	
中国画的艺术	徐悲鸿 著	马小起 编	
中国绘画史纲	傅抱石 著		
龙坡谈艺	台静农 著		
中国舞蹈史话	常任侠 著		
中国美术史谈	常任侠 著		
说书与戏曲	金受申 著		
世界美术名作二十讲	傅雷 著		

中国画论体系及其批评	李长之 著		
金石书画漫谈	启 功 著	赵仁珪 编	
吞山怀谷			
——中国山水园林艺术	汪菊渊 著		
故宫探微	朱家溍 著		
中国古代音乐与舞蹈	阴法鲁 著	刘玉才 编	
梓翁说园	陈从周 著		
旧戏新谈	黄 裳 著		
民间年画十讲	王树村 著	姜彦文 编	
民间美术与民俗	王树村 著	姜彦文 编	
长城史话	罗哲文 著		
天工人巧			
——中国古园林六讲	罗哲文 著		
现代建筑奠基人	罗小未 著		
世界桥梁趣谈	唐寰澄 著		
如何欣赏一座桥	唐寰澄 著		
桥梁的故事	唐寰澄 著		
园林的意境	周维权 著		
万方安和			
——皇家园林的故事	周维权 著		
乡土漫谈	陈志华 著		
现代建筑的故事	吴焕加 著		
中国古代建筑概说	傅熹年 著		
简易哲学纲要	蔡元培 著		
大学教育	蔡元培 著		
	北大元培学院 编		
老子、孔子、墨子及其学派	梁启超 著		
春秋战国思想史话	嵇文甫 著		
晚明思想史论	嵇文甫 著		
新人生论	冯友兰 著		

中国哲学与未来世界哲学	冯友兰 著	
谈美	朱光潜 著	
谈美书简	朱光潜 著	
中国古代心理学思想	潘菽 著	
新人生观	罗家伦 著	
佛教基本知识	周叔迦 著	
儒学述要	罗庸 著	杜志勇 辑校
老子其人其书及其学派	詹剑峰 著	
周易简要	李镜池 著	李铭建 编
希腊漫话	罗念生 著	
佛教常识答问	赵朴初 著	
维也纳学派哲学	洪谦 著	
大一统与儒家思想	杨向奎 著	
孔子的故事	李长之 著	
西洋哲学史	李长之 著	
哲学讲话	艾思奇 著	
中国文化六讲	何兹全 著	
墨子与墨家	任继愈 著	
中华慧命续千年	萧萐父 著	
儒学十讲	汤一介 著	
汉化佛教与佛寺	白化文 著	
传统文化六讲	金开诚 著	金舒年 徐令缘 编
美是自由的象征	高尔泰 著	
艺术的觉醒	高尔泰 著	
中华文化片论	冯天瑜 著	
儒者的智慧	郭齐勇 著	
中国政治思想史	吕思勉 著	
市政制度	张慰慈 著	
政治学大纲	张慰慈 著	
民俗与迷信	江绍原 著	陈泳超 整理

政治的学问	钱端升	著	钱元强	编
从古典经济学派到马克思	陈岱孙	著		
乡土中国	费孝通	著		
社会调查自白	费孝通	著		
怎样做好律师	张思之	著	孙国栋	编
中西之交	陈乐民	著		
律师与法治	江 平	著	孙国栋	编
中华法文化史镜鉴	张晋藩	著		
新闻艺术（增订本）	徐铸成	著		
经济学常识	吴敬琏	著	马国川	编
中国化学史稿	张子高	编著		
中国机械工程发明史	刘仙洲	著		
天道与人文	竺可桢	著	施爱东	编
中国医学史略	范行准	著		
优选法与统筹法平话	华罗庚	著		
数学知识竞赛五讲	华罗庚	著		
中国历史上的科学发明（插图本）	钱伟长	著		

出版说明

"大家小书"多是一代大家的经典著作,在还属于手抄的著述年代里,每个字都是经过作者精琢细磨之后所拣选的。为尊重作者写作习惯和遣词风格、尊重语言文字自身发展流变的规律,为读者提供一个可靠的版本,"大家小书"对于已经经典化的作品不进行现代汉语的规范化处理。

提请读者特别注意。

北京出版社